LES TÉNÉBREUSES AFFAIRES
DU COMTE DE PARIS

Prince Jacques d'Orléans

en collaboration avec Bruno Fouchereau

LES TÉNÉBREUSES AFFAIRES DU COMTE DE PARIS

Albin Michel

1

Un meurtre symbolique

14 décembre 1996, 15 heures

Le téléphone a sonné. Du Sud de la France, la voix blanche d'émotion, un ami m'annonce le début de la vente. Le marteau frappe à Monaco, mais ses coups m'atteignent ici, à Paris. Les commissaires-priseurs de Sotheby's, qui adjugent en ce moment même au plus offrant, face à un parterre de riches collectionneurs venus du monde entier, ne savent pas à quel point les luxueux objets qui passent entre leurs mains sont les témoins des brefs instants de bonheur qui éclairèrent mon enfance. Notre enfance, devrais-je dire, nous les onze enfants de Son Altesse royale le comte de Paris. Nous avons poussé livrés à nous-mêmes et à la contemplation de ces objets chargés d'histoire. Soyons justes, nous avions aussi à notre service une armée d'éducateurs et de nourrices, souvent incapables, mais sachant si bien ramper devant papa.

Impuissant, j'écoute le silence relatif de mon bureau parisien. Les gamins d'une école voisine jouent et crient. Mon père a voulu cette vente. Nos protestations, nos procès pendant presque trois ans n'ont rien changé. Par lots, le mobilier des appartements particuliers de nos royaux ancêtres va être éparpillé de par le monde. Des tableaux aussi, véritables reportages picturaux sur les victoires militaires du duc de Chartres à Jemmapes, du duc d'Orléans à Constantine, du duc d'Aumale au camp d'Afroun... Et puis des objets, certains rarissimes, d'autres de moindre valeur, des petits bronzes, une carafe aux armes du duc d'Aumale qui nous était réservée, à nous les enfants, pour nos anniversaires. Triste fin... des enchères publiques ! J'ai honte.

16 décembre 1996, 18 heures

Michel, mon frère jumeau, vient de partir. Il est venu m'apporter le résultat des enchères, un document de trois pages à en-tête de Sotheby's frappé d'un titre : *Vente/Comte de Paris.* Sur ces feuillets, de longues colonnes avec des chiffres. Les lots se sont vendus cinq à dix fois plus cher que leur estimation. Que ne ferait-on pas pour s'approprier un peu de royauté ! La carafe aux armes du duc d'Aumale avec son service de cristal, estimée à trente mille francs, a été adjugée à cinq cent quatre-vingt-quinze mille francs. La vente a rapporté à papa quinze millions cent quatre-vingt-onze mille huit cent cinquante-six francs. Une bonne affaire ! La vérité est que notre père n'a rien compris. Il ne pouvait pas concevoir l'affection que nous portions, au-delà de leurs valeurs historique et familiale, à ces tableaux, ces bronzes, ces meubles si subtils... Oui, une véritable affection. Il ne pouvait pas l'imaginer. Une affection que nous ne lui avons jamais portée et qu'il n'a, d'ailleurs, jamais sollicitée.

En feuilletant le catalogue de Sotheby's, pour vérifier à quel prix a été vendu tel ou tel objet, les souvenirs jaillissent comme des diables. Les arbres d'abord. Je revois les cèdres, les sapins, les mimosas et les eucalyptus odorants qui bordaient le manoir de la Quinta do Anjinho, à Sintra où nous vivions, à vingt-sept kilomètres de Lisbonne. Nous sommes arrivés au Portugal en juillet 1946, après quelques pérégrinations. La loi d'exil de 1886 interdisait à notre famille de rentrer en France. Notre présence sur le territoire national était ressentie comme un péril pour la République, un synonyme de restauration. Le comte de Paris, alors que la France n'en finissait plus d'honorer la Résistance et de fêter la Libération, ne voulait pas être trop loin de sa nation. Nous avions donc quitté notre palais du Maroc pour rejoindre l'Espagne et nous installer à Pampelune. Mais l'activisme de mon père éveilla l'inquiétude des autorités françaises. Le Quai d'Orsay fit savoir au gouvernement de Franco que notre présence à quelques kilomètres de la frontière était difficilement acceptable. Nous fûmes donc conviés à nous installer ailleurs. Au début de l'été 1946, nous reprenions la route, direction le Portugal. Mon père fut accueilli à bras ouverts par les autorités. Ricardo Espirito Santo, riche mécène, banquier et ami du dictateur Salazar, fit l'impossible pour nous trouver un lieu à notre convenance et nous prêta, un temps, son magnifique palais du XVIIIᵉ siècle à Santo Pedro.

C'est à l'automne que nous nous sommes installés à la Quinta do Anjinho, littéralement « la ferme de l'Ange ». C'était une immense bâtisse en forme de grand rectangle. Nous disposions de plus de trente pièces, d'une chapelle et d'une multitude de dépendances et de granges pour nous ébattre et surtout nous soustraire à la surveillance de nos éternels gardes-chiourme. C'est ici que le dernier de nos frères est né, le 20 janvier 1948, Thibaut, dont je garde en mémoire la petite bouche ronde et la tête blonde d'enfant. Il fut baptisé dans notre chapelle, en février 1948, des mains de dom Manuel Gonçalves Cerejeira, patriarche de Lisbonne. Il était le onzième de la bande qui, chaque jour, recevait les renforts d'une bonne dizaine d'autres enfants, cousins et amis, tous aussi sauvages que nous. Nos parents absents la quasi-totalité du temps, la maison nous appartenait. Les couloirs, les salons, les greniers et les champs retentissaient de nos bagarres et de nos jeux. Le matin était le seul moment calme de la journée. Très tôt, j'aimais descendre dans le grand salon. J'avais à peine huit ans et je m'allongeais dans le sofa, face à la cheminée qui me paraissait titanesque, bordée de ses deux immenses colonnes surmontées d'un linteau en marbre. Sur celui-ci trônait un bronze représentant Louis XIII à cheval, un cadeau de mariage offert à mes parents qui aujourd'hui porte le numéro 229 dans le catalogue de Sotheby's. Lové dans le sofa, face à la cheminée, je ne concevais pas encore l'avenir de ces objets, je me laissais aller à des rêveries d'enfant. Je m'imaginais sur une embarcation de fortune. J'étais un naufragé au large d'Alger, capitaine d'une goélette coulée par une flottille de pirates mauresques, se lamentant et ruminant sa vengeance qui ne tarderait pas. Sauvé par quelques braves pêcheurs, je rejoignais les troupes du maréchal Bugeaud. J'étais en mai 1843 et je m'imaginais, sur ordre du maréchal, rejoindre mon grand-oncle le duc d'Orléans. Au milieu de ses troupes, entouré de ses officiers, je le voyais m'ouvrir les bras en souriant, fier de m'accueillir pour une bataille décisive. Toute l'armée portait un képi d'une toile cirée noire, seul mon grand-oncle avait voulu rester coiffé du képi rouge éclatant qui le désignait à tous comme le chef, à ses hommes comme aux balles de l'ennemi ! À califourchon sur l'un des bras du sofa, je chevauchais aux côtés de ses officiers, le général Duvivier, le colonel Lamoricière, le général d'Houdetot... Et avec eux, en ce 15 mai 1843, sous les ordres du duc d'Aumale, je donnais la charge à la smala d'Abd el-Kader. Après trois jours de marche forcée épuisante à travers le désert, nous sauvions les apparences, mais le moral n'était plus là. Alors résonnait dans ma mémoire ce texte tant de fois lu par ma sœur Diane pour moi et mes frères, un texte écrit par le duc d'Aumale lui-même :

« C'est entre dix et onze heures du matin, lorsque j'avais déjà perdu l'espoir de rencontrer l'ennemi, lorsque j'étais uniquement préoccupé d'arriver à cette source de Taguin qui semblait fuir devant

11

nous, c'est alors que l'Agha des Ouled-Aiad vint m'informer de la présence inattendue de la smala sur cette eau même dont la possession ne devait pas être le moindre prix de la victoire. Les spahis déployés devaient frapper le premier coup ; en deuxième ligne, les chasseurs devaient servir de réserve et décider l'affaire. Mais lorsque nous descendîmes au grand trot le rideau qui, jusqu'alors, nous avait caché l'ennemi, lorsque nous vîmes cette ville de tentes et cette fourmilière d'hommes qui couraient aux armes, alors je compris qu'il fallait engager tout le monde et que l'audace seule pouvait décider du succès. Ce n'était pas une smala ordinaire, la réunion de quelques serviteurs fidèles autour de la famille et des richesses d'un chef ; c'était une capitale ambulante, un centre d'où partaient tous les ordres, où se traitaient toutes les affaires importantes, où toutes les grandes familles trouvaient un refuge sans pouvoir échapper ensuite à l'inquiète surveillance qui les y retenait. Je ne crois pas être taxé d'exagération en disant qu'il y avait près de vingt mille âmes autour du douar d'Abd-el-Kader le jour où nous l'avons attaqué ; et là-dedans, il y avait un bataillon régulier de huit cents hommes, deux mille deux cents cavaliers et deux mille fantassins armés. »

Pour évoquer plus encore la furie de la bataille je me tournais sur la droite et j'admirais l'immense tableau, de plus de deux mètres de long, peint par Léon-Jean Basile Perrault, reconstituant la fameuse bataille. On y voit le duc d'Aumale sur un cheval blanc, sabre au clair, chargeant à la tête de sa cavalerie. Devant lui les hommes d'Abd el-Kader sont paniqués, certains fuient, d'autres courent aux armes et se lancent au combat dans le plus grand désordre. Je me figurais hurlant et frappant de mon sabre. Je tirais avec un pistolet de cow-boy, le sang giclait des membres cisaillés de l'ennemi, je me vengeais enfin de mon naufrage, des pirates et peut-être de bien plus encore...

Souvent mon frère jumeau Michel venait m'arracher à mes rêveries en se jetant sur moi. Nous nous lancions dans une bagarre furieuse qui s'interrompait aussi brutalement qu'elle avait commencé. Nous nous précipitions dehors, tirant des coups de feu en l'air avec nos doigts, sautant par-dessus les hamacs accrochés entre les colonnes de la terrasse. Nous n'étions plus à Alger, mais aux Amériques. Finis les pirates mauresques, à nous les Indiens et les Sudistes. J'étais le duc de Chartres, Michel jouait le prince de Joinville. Deux autres de nos ancêtres qui se distinguèrent pendant la guerre de Sécession. François d'Orléans, prince de Joinville (1818-1900), avait le talent d'un grand peintre. La duchesse d'Uzès eut ces quelques mots à son sujet : « Dire le charme et l'esprit du prince de Joinville est impossible. Dans la soirée, le prince de Joinville me dit : "Madame, tout le monde écrit ses mémoires, moi je les ai dessinées." Et il m'apporta un grand carton d'où il tira une à une de très belles aquarelles où il avait peint différentes phases de sa vie, soulignées par une simple légende. » Toute son œuvre picturale, extrêmement classique bien que très personnelle, est une sorte de témoignage des grands moments de sa vie.

En septembre 1861, alors que la guerre de Sécession faisait rage, le prince quitta l'Angleterre pour conduire aux États-Unis son fils le duc de Penthièvre, qui voulait suivre les cours de l'École de marine américaine. Il emmena également ses deux neveux, le comte de Paris et le duc de Chartres, qui avaient perdu leur mère, décédée de la grippe le 18 mai 1858. Émus par les foules en liesse, les cohortes de volontaires, l'enthousiasme anti-esclavagiste et moderne du milieu qu'ils fréquentaient, ils se laissèrent entraîner et devinrent des acteurs des grands événements qui se préparaient. Le comte de Paris et le duc de Chartres incorporèrent l'armée fédérale. Ils furent aides de camp du général McClellan. Le prince de Joinville, lui, participa à la légendaire et terrible campagne du Potomac. Leurs aventures, que nous connaissions dans le moindre détail, égalaient dans nos cœurs celles de Jules Verne et de Maurice Leblanc, peut-être même plus encore. Devant les aquarelles du prince de Joinville, nous rêvions des heures, scrutant les moindres détails d'un gigantesque défilé de l'armée fédérale, imaginant le bruit des détonations et le cri des soldats qui, pour l'éternité, partent à l'assaut d'un fort enneigé.

À la Quinta, au bout de la prairie qui bordait l'arrière de la maison, se dressait un bosquet d'arbres qui entourait un puits. Là, nous avions notre tour de guet, poste avancé de l'armée fédérale. Avec des planches, des clous et de la ficelle, dérobés aux ateliers de la ferme, nous avions construit une baraque dans un arbre. De là-haut, nous observions les mouvements de l'armée sudiste. Pendant ces heures d'observation, où nous combattions aussi des milliers d'ennemis invisibles, nous nous lancions dans de longues conversations. Nous nous interrogions sur les mystères de la vie. Souvent, nous nous imaginions un père qui serait un poète célèbre, un artiste au regard doux, avec lequel notre mère aurait trompé le comte de Paris. Nous espérions qu'il viendrait un jour réaffirmer ses droits sur nous. Nous parlions aussi de la mort. Quel sentiment étrange devait-on ressentir lorsqu'on glissait ? Cela faisait-il mal lorsque le cœur s'arrêtait ? Et là-bas... y avait-il un là-bas ? Était-ce mieux qu'ici ?

Un matin, armés d'épées en bois que nous avait confectionnées Raoul, le majordome, mon frère et moi avions décidé de lancer une offensive fulgurante contre les premières lignes sudistes. À l'approche de notre cabane, où nous devions mijoter notre stratégie, une odeur abjecte faillit nous faire vomir. Dans le puits, d'où provenait la puanteur, nous aperçûmes un corps. Dévalant le pré en hurlant (presque de joie !), nous allâmes avertir Raoul, qui téléphona aux pompiers de Sintra. Dans notre cabane, un mouchoir noué en guise de masque, nous guettions leur arrivée. Du puits, ils retirèrent un cadavre gonflé et violacé. Un homme d'une trentaine d'années était mort noyé. L'odeur était incroyable. Nous étions tétanisés. Ce fut l'un des moments les plus forts de notre enfance. Pour nous, ce macchabée était un espion sudiste venu s'en prendre aux cartes de notre future offensive. Bien mal lui en avait pris, l'esprit du grand sachem veillait sur nous. Beaucoup plus tard, devenu adolescent, j'ai appris qu'il s'agissait d'un suicide amoureux.

Mon enfance me semble si loin et si présente. Les tableaux, les aquarelles, les meubles, les bronzes et la vaisselle de la Quinta do Anjinho défilent sous mes doigts en photos numérotées, estampillées et évaluées. Ainsi présentés, ces objets nous annoncent leur disparition et peut-être la fin de quelque chose dans notre famille. Une chose que je n'arrive pas à définir pour l'instant, mais bien réelle. Beaucoup de ces objets proviennent de la succession du duc de Guise, notre grand-père ; d'autres avaient meublé, avant la Seconde Guerre mondiale, le manoir d'Anjou, près de Bruxelles, ou le palais de Palerme. Certains appartenaient au roi Louis-Philippe (1773-1850). Beaucoup sont d'authentiques pièces de musée, comme le portrait de Philippe d'Orléans, régent de France, en habit de maréchal, ou celui de Philippe Égalité, ou l'unique portrait du duc de Chartres enfant. Pourquoi père cherche-t-il obstinément à les faire disparaître ? Car cette vente n'est qu'une étape dans un processus d'effacement qu'il semble conduire de manière systématique. Depuis un peu moins de dix ans, impuissants, nous observons avec quelle ténacité il s'évertue à éliminer les pauvres et derniers liens qui nous unissent, comme s'il s'agissait de mettre un point final à notre histoire.

Cette vente chez Sotheby's n'est en rien motivée

par une déroute financière qui toucherait notre famille. Avec presque un million de revenus annuels personnels, rien n'oblige le comte de Paris à de telles extrémités. Dans la préface du catalogue de Sotheby's, il écrit : « La Quinta se vidait, le silence et la solitude hantaient cette grande demeure naguère si vivante et bruyante d'animation. L'opportunité s'étant présentée, nous avons, mon épouse et moi, vendu la Quinta do Anjinho et nous avons ramené, en France, tout son contenu. Nous n'avons, en France, plus de demeure assez grande pour y vivre et y installer ce mobilier. Nous avons donc décidé de le vendre à Monaco, par l'entremise de Sotheby's. » Cette préface me fait frissonner. Nous étions viscéralement attachés à la Quinta. Si cette propriété est devenue silencieuse, c'est bien par la volonté de mon père. C'est lui qui refusa que je m'installe là-bas et qu'avec mes frères nous la transformions en une entreprise agricole moderne. Pour une partie des objets de la vente, il a même refusé nos propositions de rachat.

J'ai le sentiment d'une sorte de meurtre symbolique. Ma sœur Diane de Wurtemberg me dit souvent que notre père souffre d'un complexe de Kronos. Comme le père des dieux de la Grèce antique, il ne peut s'empêcher de dévorer ceux qu'il met au monde. Son attitude est pour nous un mystère. Pourquoi a-t-il engendré onze enfants si c'était pour un tel désastre ? Quel est le noir secret qui le fait agir ainsi ? Cette question hante ma vie.

2

« Je ne vous laisserai que de la haine »

17 janvier 1997, 22 heures

Rue de Buci, dans le sixième arrondissement de Paris, à la limite de l'ancienne rue des Fossés-Saint-Germain et de celle qu'on appelait jadis la rue Saint-André-des-Arcs, je suis tombé nez à nez avec un ami avocat, Jean-Paul Baduel. Il prête habituellement une oreille attentive à mes soucis. Comme d'habitude, il courait au Palais, mais il prend le temps de m'annoncer une chose curieuse : « Je crois que la nouvelle mouture des statuts de la Fondation Saint-Louis réserve quelques surprises. Je ne peux pas t'en dire plus. C'est un ami du ministère qui m'a alerté. Les statuts ont été déposés il y a quelques jours. Je vais les faire demander. Dès que je les ai, je t'appelle. » Et Jean-Paul s'est accroché à son écharpe pour disparaître dans la grisaille de la foule. Il aime jouer du mystère.

La Fondation Saint-Louis a été fondée par mon père en 1978. Elle gère une partie importante du patrimoine familial, mais depuis quelques années, nous, les enfants du comte de Paris, en sommes tenus à l'écart. Je crains le pire, je m'attends à tout de la part de mon géniteur ! Chose curieuse, si effectivement je m'attends à n'importe quelle... bizarrerie de sa part, je n'éprouve pas de haine ni de rancœur. Juste un sentiment de vide et de tristesse comme pour une défaite. En cinquante-six ans de vie et de déception, ma haine s'est enflammée, a brûlé et s'est éteinte. En clair, je me suis calmé.

Enfant, je bouillonnais de haine contre papa. À la Quinta, dans le hall, une double volée d'escaliers se rejoint au premier étage et fait face à la porte d'entrée. Souvent je jouais dans les hautes marches. Lorsque mon père rentrait de voyage et qu'il montait, je me précipitais dans l'escalier opposé en hurlant. J'allais me cacher et je restais dissimulé dans un trou de souris. Je craignais quelque chose, une sorte de catastrophe indicible. Vers l'heure du dîner je réapparaissais, souvent dans l'indifférence générale. Je rentrais alors par les cuisines, en priant Dieu et les saints que mes parents aient eu la bonne idée d'inviter quelques personnalités. Dans ce cas-là nous ne dînions pas avec eux, mais dans la petite salle à manger. Là, le personnel nous choyait, surtout Béatrice. Elle nous laissait manger tout ce que nous voulions et nous embrassait en nous écrasant sur sa plantureuse poitrine. Dès l'âge de dix ans, à table, je buvais un peu de vin et je m'empiffrais de viande, de fromage et de glace.

Les jours où mes parents étaient à la Quinta et n'avaient invité personne, tout changeait ! Avant de nous autoriser à passer à table, notre père nous ins-

20

pectait les mains. Puis nous prenions place autour de la table dans un silence glacial que nous devions garder tout le long du repas, sauf si père ou mère nous interrogeaient. Les plats étaient servis au rythme de la mastication paternelle. Si nous traînions, la punition tombait selon un rituel silencieux mais inéluctable. Tout commençait par une remontrance à celui qui n'avait pas terminé alors que l'on apportait déjà le plat suivant. Si le malheureux ne terminait pas immédiatement son assiette, mon père faisait un signe de tête au serveur. Ce dernier mélangeait alors vigoureusement les entrées restées dans l'assiette au plat de résistance. Le tout formait un amalgame plus ou moins étrange selon le menu. Je souris aujourd'hui à l'évocation de ce souvenir, mais à l'époque cette mise en scène nous terrorisait. Le mélange, peu ragoûtant, devenait vite infâme. Devant notre incapacité à ingurgiter quoi que ce soit du magma de notre assiette, la salade, le fromage et le dessert venaient ponctuellement augmenter le tas. La punition se terminait toujours de la même manière. Leur repas fini, mes parents quittaient la table et père faisait un nouveau signe au personnel. Celui ou ceux qui subissaient cette petite torture étaient conduits en cuisine. Leur assiette était posée devant eux, au bout de la massive table en chêne. Assiette terminée ou pas, au bout de deux heures, ils étaient libérés. Mais au repas suivant, ce qu'ils n'avaient pas mangé se retrouvait dans leur assiette mêlé à la nouvelle entrée !

Heureusement, la logique punitive des repas s'enrayait rapidement du fait des voyages incessants de notre père. Si par malheur il devait séjourner plusieurs jours avec nous, notre mère, qui était à l'écoute de nos petits malheurs, jouait l'ambassadrice. Au bout de quelques jours, elle calmait la colère paternelle et la punition était levée. En cuisine aussi les choses pouvaient s'arranger. Le personnel, sans doute attendri par ces punitions répétitives, se débrouillait pour faire disparaître une partie de nos assiettes et fermait les yeux sur la présence bruyante des chiens à nos pieds.

Les relations avec notre père ont toujours été d'une simplicité désarmante. Soit il nous réprimandait, soit il nous assenait un cours magistral sous prétexte de quelques sujets d'histoire ou d'actualité. De toute mon enfance, jusqu'à l'âge de dix-huit ans, je n'ai guère d'autres souvenirs. Les engueulades empruntaient toutes au même rituel. Lorsque mon père rentrait de voyage, il prenait connaissance, par l'intermédiaire de nos éducateurs, des bêtises que nous avions pu faire. Si elles étaient jugées graves, ce qui était le plus souvent le cas, il nous convoquait dans son bureau, les uns après les autres. J'y suis passé plus souvent qu'à mon tour ! Né dans le milieu du peloton et, pour mon malheur, grande gueule de nature, j'étais le coupable parfait. Mes aînés ne pouvaient pas se défausser sur les petits, aux visages angéliques. J'étais donc régulièrement – si le mensonge était possible – dénoncé comme responsable de quelques vitres brisées ou de détériorations dont j'ignorais tout. Avec le temps, l'habitude est venue. Plus personne ne posait de question, moi non plus. Je me rendais aux convocations, résigné à subir la punition pour les autres. Je découvrais mon père assis, toujours sur la même chaise, au fond de la pièce à droite. Il me regardait sévèrement et attendait. Je baissais les yeux. Ce geste avait, pour lui, valeur d'aveu. Il se sentait autorisé à sévir. Alors, le comte de Paris, du pouce et de l'index, saisissait la pochette de sa veste et la laissait tomber à sa droite. Très calmement, il me disait : « Ramasse ! » J'avançais et m'allongeais le ventre sur ses genoux, je tendais le bras pour ramasser la pochette à ses pieds et... je recevais une sévère fessée.

À d'autres moments, pour d'autres écarts de comportement, j'avais droit à un traitement spécial. Enfant coléreux, à la moindre contrariété de mes frères ou du personnel, je me mettais à hurler, pleurant et me roulant par terre. Si père était là et que je l'ignore, j'en étais vite informé. Il surgissait, me relevait et m'ordonnait de courir autour de la table. Pleurant à chaudes larmes et criant de rage, trop effrayé par les conséquences d'une vaine désobéissance, je m'exécutais jusqu'à épuisement.

Un autre type de relation avec notre père était les fameuses conférences particulières qu'il nous prodiguait une à deux fois par mois. Généralement, mon père faisait prévenir notre frère aîné Henri qu'il y aurait débat au salon, le jour même, vers 17 heures. À lui de prévenir les autres enfants. Le rituel était inexorable. Notre père nous lisait un article traitant d'un fait précis de l'actualité, puis il dissertait, s'appuyant sur des textes de Maurras ou de certains philosophes chrétiens, voire des textes de Machiavel. Il œuvrait ainsi à notre éducation politique, du moins le croyait-il. À la fin de sa dissertation, il nous invitait à réagir. Les plus grands, pour faire bonne figure, osaient quelques questions, trahissant au mieux leur incompréhension du sujet traité. Parfois Henri se permettait un avis. Notre père l'écoutait, figé, dissimulant son énervement. Nous attendions la fin de ce calvaire pour retrouver nos occupations personnelles, le plus loin possible de notre père. J'ai assisté à ces conférences dès l'âge de six ans. La dernière me fut infligée la veille de mon départ pour l'armée, j'avais dix-huit ans.

Je me souviens d'un autre cérémonial, plus rare mais tout aussi régulier. Une fois par an, nous recevions une poignée de journalistes venus faire leurs emplettes photographiques de la progéniture royale et de ses non moins royaux parents. Dès le matin, nous étions baignés, coiffés et habillés. Pour une fois, en l'honneur de l'objectif de ces messieurs de la presse, notre père assistait à nos jeux. Nul besoin de nous cacher pour jouer au football. Comble de l'incroyable, notre père applaudissait à chaque but marqué. Je me souviens qu'à l'occasion d'une visite de la presse, nous fûmes autorisés à chanter et danser une farandole devant lui. Cela ne se reproduisit jamais, à croire que nous chantions terriblement faux. Ces moments où nos parents contemplaient avec bienveillance nos jeux, étaient, pour nous, tout simplement irréels.

24 mars 1997, 17 heures

Jean-Paul Baduel part en Chine pour six mois. À son retour, il m'a promis que nous étudierions le problème de la Fondation Saint-Louis. Je vais donc patienter. Ai-je le choix ? Je n'ai pas parlé de ces supputations à mes frères et sœurs. Inutile de les alarmer pour rien. Je raisonne presque en chef de guerre, cherchant à préserver le moral des troupes. C'est un peu idiot, je ne veux pas en découdre avec mon père, je ne veux pas de guerre, je ne veux rien de ce qui arrive. J'aimerais tellement que nous puissions nous parler à cœur ouvert. Mais chaque jour qui passe m'apporte un peu plus d'indices sur l'incroyable gestion du patrimoine familial. Dans une émission de télévision, j'ai entendu le comte de Paris affirmer qu'il était le dernier des Capétiens et qu'après lui la relève ne serait pas forcément assurée. Dans quel but a-t-il voulu onze enfants ?

Dans l'intimité, à l'une de mes sœurs il a confié : « Je ne vous laisserai que de la haine. » Mon père ne dit jamais rien au hasard. Tout cela m'inquiète. Qu'il cherche, de manière plus ou moins consciente, à faire disparaître nos souvenirs est une chose, mais j'ai le sentiment que c'est l'avenir même de notre famille qui est en danger. J'en ai l'intuition. Le sens des valeurs et le projet historique que nous symbolisons sont menacés. Vendre les biens de notre famille, c'est perdre notre âme. Ce qui est vrai dans une famille bourgeoise l'est plus encore lors-

que l'on s'appelle de France. On ne manipule pas
certains symboles sans risque. L'aspect vénal de
notre patrimoine n'est pas la source première de
mes inquiétudes, je crains bien plus que les éléments
subtils et fondateurs de notre histoire ne soient
malencontreusement atteints. Et tout particulièrement dans l'esprit même de ceux qui forment ma
famille, la famille des princes de France et d'Orléans. Atteints par une sorte de décadence irrémé-
diable, d'absolue décomposition de l'idéal fonda-
teur, atteints par l'idée que nous n'avons plus de
sens, plus de raison d'être, que nous ne sommes que
folkloriques. La preuve en serait apportée par le fait
qu'il est possible de vendre tout ce qui fit notre
histoire, voire notre histoire intime.

Michel, Diane, Isabelle, Hélène et moi sommes
décidés à nous opposer à la gestion par notre père
des affaires familiales. Nous nous dressons face à lui
pour la première fois. Il ne s'agit pas d'un acte de
désobéissance individuelle, momentané. Nous sommes cinq de ses enfants à lui dire non, et devant un
tribunal. Depuis le 17 mai 1993 nous guerroyons,
de procédure en procédure. En tout premier lieu,
nous avons tenté d'empêcher la vente de Sotheby's.
Si nous n'avons réussi qu'à la bloquer pendant trois
ans, nous n'entendons pas en rester là. Père a lancé
une procédure pour modifier son contrat de
mariage. Nous ne le laisserons pas faire. Car, s'il y
parvient, il aura accès aux biens de maman.

Involontairement, je suis devenu le chef d'une
fronde moderne. Dans la famille, on nous appelle
« les conjurés d'Amboise ». La blague fait beaucoup

rire ! Le décalage entre les grands complots de nos
aïeuls et nos procédures de petits bourgeois amuse.
On nous imagine un peu comme des enfants jouant
naïvement une scène de Shakespeare, un peu ridicules et grotesques, mais charmants dans des habits
trop grands. J'entends aussi ceux qui raillent et prétendent que nous nous battons pour récupérer quelques couverts en argent ! En réalité, la douleur pro-
voquée par cette vente chez Sotheby's a amorcé,
chez moi comme chez mes frères et sœurs, une prise
de conscience. Trop longtemps nous sommes restés
sans réagir. Nous étions comme figés, écrasés par le
poids de l'histoire, de la responsabilité morale qui
nous incombe par le sang qui coule dans nos veines,
laminés par le sens du devoir et l'extraordinaire
complexité de ce que nous devons incarner. Nous
avons donc laissé notre père régner sur notre histoire familiale en monarque absolu. Cela nous
débarrassait du poids des responsabilités, même si
nous étions rarement d'accord avec ses positions.
C'était confortable. Aujourd'hui, notre père semble
nous dire qu'avec lui tout doit s'achever. Ce n'est
pas supportable. Nous le savons, notre famille a un
avenir. Dans nos cœurs brille cette vérité, et nos
enfants personnifient ce message.

La voie par laquelle nous pouvons assumer l'histoire familiale n'est pas forcément celle qu'avait
choisie le comte de Paris. Toute sa vie, notre père a
mené une quête incessante du pouvoir. Il s'est prêté
à des stratégies machiavéliques à l'image de sa
devise : « Plier les événements aux hommes, ou plier
les hommes aux événements. » Il a pourtant apporté

la preuve de son impuissance personnelle face à l'histoire comme aux hommes qui l'incarnaient vraiment. Je crains qu'il veuille faire de son échec l'échec de la famille. Lui que son père et ses oncles ont préparé à régner, qui eut comme but, obligatoire, oppressant et unique, la restauration, lui dont chaque étape de la vie – publique et intime – fut construite autour de ce projet politique, lui sur qui reposèrent les espoirs de voir notre famille remonter sur le trône, a échoué. Cet échec n'est pas le nôtre, il n'est pas celui de notre famille. Notre famille existe au-delà des échecs et des victoires de ceux qui, un temps, en furent les chefs.

Le règne constitutionnel n'est pas le seul moyen par lequel notre famille peut s'affirmer. Comme il n'est pas nécessaire d'avoir une particule pour agir noblement, il n'est pas nécessaire de monter sur un trône pour assumer les valeurs royales. Le trône appartient à la nation, mais l'héritage spirituel et matériel de la Maison de France est nôtre. Si nous n'avons pas le premier, rien ne nous empêche d'assumer le second. Si je le pouvais, je poserais cette question à mon père : « Pourquoi attendre de régner pour servir, alors que c'est en servant que l'on règne ? »

3

« Vous me faites honte »

20 avril 1997, 14 h 30

Le dîner d'hier soir a été éprouvant, mais, tous les cinq, nous devions faire le point avec maître Paul Lombard sur les procédures en cours. Vers la fin du repas, alors que tout avait été éclairci, l'une de mes sœurs s'est fait l'écho d'un souvenir en m'interrompant brutalement. Je parlais de Michel, je plaisantais, tournant en dérision son côté lunatique : « Savez-vous qu'hier, Michel a laissé sa voiture dans un parking, mais il ne sait plus lequel ? » Diane s'est exclamée, en levant un doigt vengeur : « Voilà ! C'est exactement ça. Lorsqu'il le faisait, il avait le pouvoir de me rendre furieuse. Papa pratiquait l'art de parler de nous, devant nous, tout en nous ignorant. Généralement c'était pour déclarer à un presque étranger, un visiteur mondain, son dépit face à nos intelligences médiocres. Il déclarait aussi volontiers que nous étions bruyants et absolument insupportables. Toujours à des tiers, sans même nous accorder un regard. » Combien de fois ai-je entendu papa dire que nous lui étions insupportables ? Je peux imaginer et comprendre, en partie, l'allergie que nous provoquions chez lui. Nous n'étions des enfants ni calmes, ni surtout obéissants et encore moins aimables. Nous étions d'une violence extrême entre nous. J'en ai gardé quelques terribles souvenirs.

Mon frère jumeau et moi courions sur nos douze ans. Nous avions reçu à Noël un train électrique. Ce jeu nous passionnait. Naturellement le positionnement des rails, le nombre des wagons tractés par la locomotive étaient le sujet d'épouvantables disputes qui se terminaient en pugilat. Un jour, alors que notre sœur Anne jouait avec nous, je refusais obstinément de donner une locomotive à mon frère. Il me maudissait et vociférait. Il voulait cette locomotive pour la lancer sur les voies afin qu'elle percute une barricade de brindille qu'il avait délicatement confectionnée. Sa colère me réjouissait. Il sortit son couteau suisse et ouvrit la lame-scie : « Si tu ne me donnes pas la loco, je te balance le couteau ! » Je riais. Il leva le bras et, sans hésiter, il lança le couteau qui tournoya en l'air.

Connaissant mon jumeau, j'étais certain de ce geste. Avant qu'il ne lâche son arme, je m'étais jeté sur le côté. J'avais oublié Anne. Elle était juste derrière moi. Voyant la lame foncer sur elle, je criai. Le morceau d'acier étincelant s'enfonça dans son mollet gauche. Le sang inonda le parquet. Elle hurlait. J'essayai un instant de retirer le couteau. À peine touchais-je le manche que Anne se vrillait de douleur. Son visage n'était que larmes et crispations.

Nous étions paniqués. Michel était incapable de faire un geste. Isabelle, qui avait vingt et un ans, surgit, alertée par les cris. Le couteau était trop enfoncé. Les dents de la scie rendaient impossible tout mouvement. Il fallut appeler un médecin. Avant qu'il n'arrive, Michel s'était enfui. Nous ne l'avons pas revu pendant trois jours. Plus tard, il nous avoua qu'il pensait avoir tué sa sœur.

J'ai de nombreux souvenirs de ce genre. Une fois, en me lâchant volontairement du haut d'une échelle, j'ai cassé le bras de ma sœur Diane. Une autre fois nous fîmes un tonneau avec une voiture que nous avions empruntée sans pour autant posséder un permis, ni même l'âge de le passer. C'est sans doute pourquoi notre père, très tôt, s'inquiéta de notre santé mentale.

En 1952, le sentiment qu'il éprouvait pour nous évolua. Dans ses yeux, quelque chose changea. Il y avait plus que cette indifférence constante, beaucoup plus. Ce nouveau regard me glaçait. Il y avait comme de la peur et du dégoût. François avait dix-sept ans et l'affrontait de plus en plus violemment. Diane, qui en avait douze, était en admiration devant son frère. Elle adhérait à tout ce qu'il faisait, le suivait, et même le précédait dans de véritables opérations concertées de provocation. Et il n'en fallait pas beaucoup. Leurs carnets de notes étaient d'excellents prétextes. Aussi redoublèrent-ils d'efforts et se lancèrent-ils dans un concours de mauvaises notes, ce qui était réellement difficile car nous étions tous plus cancres les uns que les autres. Tous les trois mois, après lecture des bulletins dans son bureau, père se mettait à hurler. Sa voix couvrait les timides interventions de nos éducateurs qui essayaient de tempérer sa fureur. Il nous incendiait de qualificatifs : « Vous n'êtes que des imbéciles, vous ne comprenez rien, vous me faites honte, vous êtes la honte de la famille, nous ne pourrons jamais rien faire de vous ! » À partir de juin 1952, juste après notre anniversaire, François monta d'un cran dans ses provocations. Il adopta un comportement de mépris ostensible face aux remontrances de papa. Un jour nous le vîmes – attitude impensable – siffloter au beau milieu d'une phrase paternelle. Diane ne put s'empêcher de rire. La tête de mon père face à cette rébellion enfantine est restée à jamais gravée dans ma mémoire. Froidement, sans énervement, presque meurtri, il nous demanda à tous de sortir.

Quelques semaines plus tard, le majordome nous apprit la venue d'un important visiteur en provenance de Paris et que nous devrions rencontrer. Le jour suivant nous lui fûmes présentés. Notre visiteur était une femme, psychologue de son état et formée aux États-Unis. Elle portait le chignon serré et était vêtue de gris. Cette psychologue, comme de bien entendu boudinée dans ses vêtements, prétendait nous soumettre à une série de tests. Ils durèrent trois jours. À chaque fois, nous avions quelques heures pour remplir cinq ou six feuilles où s'étalait une série de questions plus ou moins étranges, entrecoupées de problèmes d'arithmétique, d'algèbre ou d'ordre pratique. Seuls François, Diane, Claude, Michel et moi étions conviés à ces tests. Il faisait chaud et être enfermé dans une pièce à griffonner des croix dans des colonnes nous paraissait une véritable punition. Sans nous concerter, notre réaction fut la même : nous fîmes des croix, mais... sans lire les questions ! Au troisième jour, notre psychologue avait ce même regard observé chez notre père, mélange de dégoût et d'angoisse.

Quarante-huit heures après la fin des tests nous fûmes convoqués. L'ambiance était plus lourde que jamais. La psychologue se tenait debout, à droite du comte de Paris, le regard plongé dans ses notes. Notre père, assis, nous observa l'un après l'autre en silence. Puis, il se lança dans une bordée d'insultes, prononcées avec calme mais la mâchoire serrée. Blasés, nous ne réagissions pas. Il se saisit alors des tests remplis par Diane : « Mais enfin, Diane ! Peux-tu m'expliquer... Pourquoi as-tu répondu que c'était un rond ? » Son doigt pointait un magnifique carré. La psychologue, rouge de honte, ne bronchait pas. Diane se redressa et sur un ton parfaitement innocent dit : « Mais, père, je croyais que c'était un rond. Ne m'en voulez pas, je suis nulle en géométrie. » François, Michel et moi nous mordions les lèvres pour ne pas rire. Il aurait suffi d'un sourire du comte de Paris, d'une trace d'humour, d'un regard de complicité pour qu'il occupe, dans nos cœurs, une place de père inoubliable. Mais il demeura pétrifié, puis nous ordonna de sortir du bureau.

Quelques jours plus tard, à la fin d'un déjeuner, le comte de Paris nous ordonna de regagner nos chambres, avec interdiction d'en sortir jusqu'à nouvel ordre. De ma fenêtre je vis une voiture arriver.

Très vite, Diane et François furent extraits de la maison, maintenus par des personnes que je ne connaissais pas et placés dans le véhicule. Pendant presque un an nous fûmes sans nouvelles d'eux. Plus tard, j'ai su qu'ils avaient été envoyés dans un institut psychiatrique. Cette mise sous tutelle, voulue par notre père, dura plus de six mois. Il entendait ainsi leur donner le goût des vraies valeurs. De ce jour, François et Diane passèrent à son égard du mépris à la haine.

En septembre, on nous expédia, mon frère jumeau et moi, à Paris. L'internat devait nous mettre un peu de plomb dans la tête. C'est donc à Paris que nous fîmes, en 1952, notre rentrée, loin du Portugal et de nos terrains de jeux de la Quinta do Anjinho. Nous avions onze ans.

À Paris, les choses ne furent pas toutes désagréables. Michel avait même réussi à faire croire au père jésuite qu'il y avait erreur sur l'une des matières qui devait lui être enseignée. Papa l'avait inscrit, malgré ses protestations, en latin, alors qu'il se passionnait pour les mathématiques. Dès notre arrivée, il se mit en tête de modifier ce programme. Lorsqu'on nous remit les emplois du temps, Michel se rendit immédiatement chez le directeur. Catastrophé, larmoyant, il expliqua que son père allait être furieux s'il apprenait que son fils recevait des cours de latin en lieu et place des mathématiques, cours auxquels le comte de Paris tenait absolument. Le directeur, à deux doigts de lui présenter ses excuses, fit immédiatement le nécessaire.

Mais notre expérience chez les jésuites ne dura

34

guère. Au bout de six mois, on nous demanda, poliment mais énergiquement, d'aller voir ailleurs. Nouvelle fureur de papa qui, heureusement pour nous, était loin. Notre retour à la Quinta n'était toujours pas au programme. Il nous fit entrer, grâce à ses relations, dans un autre internat parisien. Ce dernier nous garda jusqu'aux grandes vacances, mais fit savoir au comte de Paris que l'ambiance de l'institution ne nous convenait pas. Pour l'année suivante, il semblait préférable de nous envoyer ailleurs. Nos bagarres incessantes avec les autres élèves, nos insolences et surtout notre mauvaise volonté à étudier avaient eu raison de la patience de nos éducateurs.

Pour les vacances, père ne nous autorisa toujours pas à revenir au Portugal. Nos fautes nous valaient l'exil ! L'été s'étira doucement, sans que nous sachions ce qui nous attendait. Quelques semaines passées chez les scouts dans le Vaucluse nous firent découvrir les joies de la mixité. Ces semaines furent d'autant plus profitables que les chefs étaient très occupés, eux aussi, par la mixité. Le reste de nos vacances s'écoula chez des cousins, dans leur manoir d'été près de Collioure. Fin août, par courrier, notre père nous fit savoir que nous allions être conduits au monastère de la Pierre-qui-Vire dans la région d'Avallon, dans le Morvan. D'autres curés, un autre internat, cela ne nous impressionna pas. Nous étions juste inquiets de savoir quand nous pourrions enfin revoir la Quinta.

Dès nos premiers pas dans l'enceinte de l'abbaye Sainte-Marie de la Pierre-qui-Vire, notre décision fut prise. Nous n'y resterions pas. Les enfants étaient parqués dans des baraques en bois lugubres, mal chauffées et nauséabondes. La discipline était quasi carcérale et les instants de liberté inexistants. Les prêtres, pour une peccadille, nous fouettaient avec des martinets en répétant sans arrêt : « Votre père nous a demandé de faire de vous des jeunes gens convenables, nous ne trahirons pas sa confiance. » Et vlan ! Nous prenions une dizaine de coups sur nos fesses nues.

Des deux, j'étais sans doute le plus insolent. Je m'adaptais très mal à cette discipline. Mon frère, plus secret, masquait ses sentiments plus facilement. Au fil des semaines, il avait plus ou moins réussi à se faire des amis. Les prêtres lui octroyaient même quelques passe-droits lorsqu'il les accompagnait comme enfant de chœur pour la messe dans les villages des environs. Notamment, il était autorisé à faire quelques achats. Ainsi ramenait-il cigarettes, journaux, mais surtout de quoi fabriquer du caramel. Nous opérions sur le poêle de la chambrée et revendions notre production aux copains. Un vrai marché noir. Sous nos lits, dans nos placards, on trouvait tout ce qu'un enfant peut désirer lorsqu'il vit enfermé dans un monastère : des livres, des bonbons, du chocolat, des jouets...

Mon sort n'en était pas plus enviable. Je haïssais ces prêtres que je considérais comme des tortionnaires. Les premières séances de fouet me firent pleurer, mais, très vite, je me jurai de ne plus offrir ce plaisir à ces vieux prêtres redresseurs de torts. Je serrai les dents. Plus un son ne sortit de ma bouche.

À peine laissais-je paraître un tressaillement lorsque le coup s'abattait. Plus d'une fois je me suis reculotté et, bravant le prêtre du regard, je lui ai jeté : « Cela ne me fait même plus rien. » Je ne savais pas encore que l'escalade des provocations ne permet pas de gagner.

Mes insolences répétées me valurent ma première quarantaine. Cette punition, mise au point par nos moines austères, était d'une réelle dureté. Pendant quarante jours nous étions soumis à un régime spécial. Nos repas se limitaient à une soupe et à un morceau de pain. Nous devions l'ingurgiter, matin, midi et soir, à genoux face à la table du père abbé. Seuls les prêtres avaient le droit de nous parler ; ni mes camarades ni mon frère n'étaient par exemple autorisés à m'adresser la parole. S'ils le faisaient, c'était au risque d'être eux-mêmes mis en quarantaine. Les punis frappés de quarantaine n'avaient pas le droit de participer aux récréations. Ils les passaient dans une espèce de cage en bois, installée sous le grand escalier et surnommée le cachot. La nuit, ils étaient séparés des autres élèves. Dès 20 heures, ils étaient enfermés dans une cellule de moine, seuls, sans lumière, avec un seau pour leurs besoins. Deux fois dans l'année, j'eus à subir cette mise à l'épreuve pendant laquelle les prêtres me faisaient une morale incessante, souvent grotesque. Je n'étais plus que haine contre le monde des adultes, les prêtres et mon père.

Mon pire souvenir, malgré tout, n'est pas cette quarantaine que des prêtres, à la limite de la démence, faisaient subir aux indécrottables, mais celui de mes terreurs nocturnes. Souvent je me réveillais, une envie d'aller aux toilettes me tenaillant. Je ne voulais pas me lever. Je résistais le plus longtemps possible. Conscient de l'inéluctable, malheureux comme une pierre, je finissais par soulever mes draps et je me dirigeais à tâtons vers la porte des toilettes que j'apercevais à peine. Une fois libéré, le vrai martyre commençait. Le retour vers le lit était une source d'angoisse terrible. De ma vie je n'ai plus ressenti un sentiment aussi effrayant. Aujourd'hui encore ce sentiment hante mes cauchemars. De retour dans la chambrée, dans ce demi-sommeil dans lequel demeure un enfant même après s'être levé, j'errais à la recherche de mon lit. Dans le noir, je perdais le sens de l'orientation. Ma main touchait un sommier. Je croyais reconnaître mes couvertures. J'approchais doucement de l'oreiller et surgissait une tête qui hurlait : « Qu'est-ce que tu veux ! » Je m'écartais vivement en m'excusant et je recommençais un peu plus loin. La scène pouvait se répéter quatre à cinq fois avant que je ne m'effondre en pleurant. Le plus souvent l'un des grands de la chambrée se levait en m'insultant et me raccompagnait à mon lit.

À Noël, nous ne fûmes toujours pas autorisés à rentrer au Portugal. Toutes nos vacances et nos week-ends de cette année scolaire 1953-1954 nous les passâmes en compagnie des moines acariâtres de l'abbaye Sainte-Marie de la Pierre-qui-Vire. Une seule fois, pour quelques jours, notre mère vint nous voir. Nous l'avons suppliée de nous emmener avec elle, mais elle ne pouvait rien faire. Les ordres de

notre père étaient clairs. Mère avait déjà eu beaucoup de mal à obtenir ce droit de visite. Il n'y avait
plus qu'une seule solution : résister ! Pour quitter
cet enfer, il fallait être expulsé. Mon frère redoubla
d'efforts dans sa nullité scolaire et moi dans l'inso-
lence. Notre stratégie porta ses fruits. À la fin de
l'année, le père supérieur de l'abbaye préconisa une
autre institution. Nouvelle fureur du comte de Paris
qui ne décoléra pas pendant une semaine. Il fallait
nous serrer la vis un peu plus encore. Notre traver-
sée du désert ne faisait que commencer. Nous fûmes
donc séparés pendant deux ans et de nouveau placés en internat dans des collèges privés de la région
parisienne.

Nos résultats ne s'améliorèrent pas pour autant.
De manière régulière et constante, nous réussissions
à nous faire renvoyer des nobles institutions auxquelles papa nous avait confiés. Après avoir écumé
quatre à cinq établissements, il restait peu de choix.
Père dut se résoudre à mobiliser les services d'un
éducateur personnel, car notre retour vers la Quinta
était pour lui hors de question. M. Bœusche donnait
ses cours dans une petite maison de la rue de Miromesnil. Michel et moi furent ses seuls élèves pendant
quelques mois, puis Diane vint nous rejoindre. Nous
devons beaucoup à cet homme. Il réveilla en nous
le plaisir du savoir. Sa douceur, son calme, l'estime
sincère qu'il nous portait, son absence de violence,
ressuscitèrent une étincelle d'humanité chez les
enfants sauvages que nous étions devenus. « Papa
Bœusche » rendit à Michel le goût des mathéma-

tiques. Il me redonna celui de la lecture et, je le sais, il calma les terribles angoisses de Diane.

Nous l'ignorions encore, mais la communauté française du Portugal allait faire notre bonheur. Pour l'année scolaire suivante, un lycée français devait ouvrir ses portes à Lisbonne. Notre père décida notre retour vers le Portugal. Il affirma à maman qu'il allait s'occuper personnellement de notre éducation, et plus particulièrement m'apprendre le respect et l'obéissance. La fin de l'année s'annonçait. Un samedi matin, on nous apporta une lettre. Notre mère nous annonçait notre inscription au lycée français de Lisbonne. À cette nouvelle nous avons explosé de joie. Pour nous, c'était la victoire ! Dès ce moment, les nuits nous parurent encore plus longues.

Bientôt, les grands murs de la Quinta se dressèrent devant nous. C'était l'été, les vacances, nous retrouvions le Sud. François et tous les autres nous attendaient. Mais nous n'étions plus les mêmes en ce mois de juillet 1956. Diane était presque une femme. François ne pensait plus qu'à une chose : partir au service militaire. Henri, qui avait été titré Monseigneur à l'occasion de son succès au baccalauréat de 1953, s'imaginait déjà roi de France. Isabelle rêvait d'un mariage fastueux... Pis encore, notre cabane construite dans un arbre n'était plus que ruines. Elle n'avait pas résisté aux assauts de l'hiver. Nous ne pouvions plus être des enfants, nous avions quinze ans, nous n'étions pas encore des adultes.

4

Mon fantôme

12 mai 1997, 22 h 45

Depuis quelques jours je suis habité par le souvenir mélancolique de François. Le 11 octobre prochain, il y aura trente-sept ans qu'une balle a péné-
tré son corps pour en chasser la vie. Pourquoi mon
frère est-il si présent tout à coup ? Peut-être est-ce
cette photo que m'a envoyée un ami journaliste ?
On y voit mon père dans la chambre de cette maison
de petit-bourgeois banlieusard qu'il habite aujour-
d'hui, une maison cubique et sinistre comme les
Bouygues et autres Merlin savent en produire à la
chaîne. Mon père pose devant des lits jumeaux. À la
droite de son lit, au-dessus de sa table de chevet, un
véritable mausolée saint-sulpicien est érigé : des icô-
nes, des crucifix, la Bible, un bougeoir, des coupures
de presse jaunies, un chapelet entourent un grand
portrait de François. Sur cette photo, prise récem-
ment par mon ami, père a l'air diminué, malade.
Face à cette image ancienne de mon frère, jeune
pour l'éternité, papa me semble irréel, effacé,

41

inexistant. Un gouffre sépare ces deux hommes, ce père vivant mais figé et ce fils mort mais souriant.

François est né le 15 août 1935 au manoir d'Anjou, à Woluwé-Saint-Pierre, dans la région de Bruxelles. Comme on aime à le rappeler dans les biographies officielles, il fut ondoyé lors de sa naissance et baptisé le 25 août 1935. Comme nous tous, il fut rebaptisé « à la béarnaise » : le duc de Guise, notre grand-père, lui frotta les gencives avec une gousse d'ail et lui fit boire quelques gouttes de jurançon. Les notices officielles donnent aussi une autre information : « S.A.R. le prince François, Gaston, Michel, Marie de France, fils de France, mort pour la France au champ d'honneur le 11 octobre 1960, à Touriat Ali Ou Nasseur, en Kabylie, Algérie. Inhumé le 17 octobre 1960 en la chapelle royale Saint-Louis de Dreux (Eure-et-Loir). » Par acte posthume, père titra François duc d'Orléans. Ce même titre qu'il me donna, par collation, le 5 juillet 1969 mais qui avait été annoncé dès le 5 octobre 1968, lors de mes fiançailles.

François est un fantôme avec lequel j'ai appris à vivre. Sa présence est plus ou moins forte selon mes humeurs, plus ou moins douce aussi. Ce titre que je partage avec lui est comme un trait d'union qui nous relie au-delà de la mort. Son rire, ses petites phrases et son écoute me manquent. Je crois qu'il a eu sur moi bien plus qu'une influence. François a été, pour le jeune adolescent que j'étais, un modèle. Sa mort, et les douloureuses anecdotes qui s'y rattachent, formèrent un creuset dans lequel j'ai voulu me fondre pour me remodeler et renaître, sans doute un peu à son image.

Les jours qui ont précédé sa mort, l'ambiance était pénible à la Quinta. Chacun s'évitait soigneusement et tous nous évitions papa. Un malaise s'était clairement installé. Depuis la naissance de Thibaut, papa et maman faisaient chambre à part, mais quelque chose d'autre, me semble-t-il, avait atteint leur relation. Un événement déterminant avait aussi affecté radicalement nos habitudes de vie. Grâce à Paul Hutin-Desgrée, directeur de *Ouest-France* et député du Morbihan, la loi d'exil de 1886 avait été abolie sur proposition de l'assemblée, le 24 juin 1950, et ratifiée par le président de la République Vincent Auriol. Depuis 1953, la famille vivait en nomade, se partageant entre le Portugal, l'hôtel Crillon à Paris, et le manoir du Cœur-Volant que papa avait aussitôt acheté à Louveciennes. Une grande partie de la vie réelle se développait toujours à la Quinta, mais la vie publique, et surtout la vie politique de papa, s'exposaient au Cœur-Volant. Michel et moi, depuis notre retour au sein de la famille en 1956 après un éloignement qui avait duré quatre ans, n'avions pas retrouvé nos marques. La magie de nos rêves d'enfants s'était évaporée. Tout nous semblait cloisonné, l'univers des autres membres de la famille nous paraissait impénétrable.

Maman était notre seule oasis. Sans doute consciente de l'enfermement farouche qui nous aspirait comme une malédiction, elle redoubla d'efforts pour nous rendre la vie plus heureuse. Nous partions régulièrement de la Quinta pour des excursions qui duraient plusieurs jours, au bord de la mer ou dans les terres selon les saisons. Ces balades avaient un effet magique, euphorisant. Elles étaient des moments d'aventure mais aussi de liberté. Nous formions une caravane de trois voitures, qui ne passait pas inaperçue sur les routes désertes du Portugal. Souvent des cousines, des tantes ou des amies de notre mère nous accompagnaient. C'est à cette époque que je me suis intéressé à la photo. Je cachais difficilement l'excitation que me procuraient les formes pudiquement dévoilées de ces femmes se laissant aller au bain de soleil sur les plages désertes. Je me souviens de la belle-sœur d'Hélène, Marguerite de Limburg Stirum. C'était en 1958, j'avais dix-sept ans et Marguerite devait en avoir vingt-quatre. Elle était belle, intelligente et souriante. Cette année-là, elle séjourna chez nous un peu moins de quinze jours, en août. Ces quinze jours, je les ai passés l'œil rivé à l'objectif. C'était une femme, elle n'avait rien à voir avec les adolescentes que j'avais connues chez les scouts. Je me contentais de l'observer du coin de l'œil, ou à travers l'objectif. Une fois, à la plage, Marguerite était couchée sur le ventre, avec un drôle de chapeau sur la tête. Je me suis mis face à elle pour la cadrer très serré. Appuyée sur ses avant-bras, se redressant légèrement, elle me souriait. J'avais une vue imprenable sur ses seins. Téméraire, je lui demandai de se redresser un peu plus. Elle comprit. D'un mouvement de bras, elle dressa un petit monticule de sable qui dissimula sa poitrine et me regarda en souriant toujours. J'étais heureux de mon audace.

À cette époque, François faisait son service militaire dans un régiment de parachutistes de Mont-de-Marsan. Juste avant son départ, il avait eu une violente altercation avec papa. François avait quitté la maison sans même le saluer. En 1959, il entra à l'école d'officiers de Cherchell en Algérie. Mobilisé cette même année, il intégra, avec le grade de sous-lieutenant, le 7ᵉ bataillon de chasseurs alpins qui avait été fondé par son trisaïeul le duc d'Orléans (1810-1842).

Le 11 octobre 1960, le comte de Paris prit la voiture pour faire des courses et passa nous chercher, Michel et moi, à la sortie du lycée à Lisbonne. Que père vienne lui-même pour nous reconduire à la maison était rarissime. Lorsque nous l'avons vu se diriger vers nous et nous faire signe, nous nous sommes regardés, inquiets. Quelle bêtise avions-nous faite ? Ou plutôt, laquelle avait-il découverte ? Dans la voiture, le silence habituel nous rassura. En arrivant dans la cour, maman nous attendait en haut du perron. Recroquevillée sur elle-même, le visage dans ses mains, elle sanglotait. Mon père se précipita : « C'est François ? » Ma mère se jeta dans ses bras en étouffant un : « Oui ! »

Dès le lendemain la nouvelle était dans les journaux. Nous apprîmes que notre frère s'était conduit en héros, à soixante-cinq jours de la fin de son service. Lors d'un accrochage avec le FLN, l'un de ses harkis avait été blessé. Ne pouvant se résoudre à le voir agoniser, il s'était porté à son secours malgré les tirs de l'ennemi. C'est au cours de cette action qu'il avait été blessé mortellement. Le 12 octobre, après avoir entendu la messe dans notre chapelle, papa et maman prirent l'avion pour Paris. À leur arrivée à Orly, ils furent reçus par les autorités civiles et militaires. Les condoléances du chef de l'État et du premier ministre, Michel Debré, leur furent présentées. Dans la journée, ils prirent un avion pour Alger et, vers 16 heures, découvrirent la dépouille de François exposée dans la chapelle ardente de l'hôpital militaire, veillée par les chasseurs de sa section. Le 13 octobre, une messe de requiem fut célébrée dans la cathédrale d'Alger. Le 17 octobre, ce furent les obsèques religieuses à Dreux, en présence de la famille, de nombreux membres de la noblesse française, du maréchal Juin, du général Ollier, représentant le président de la République, du garde des Sceaux Edmond Michelet, et de la totalité des officiers de son bataillon. Un enterrement d'homme d'État qui aurait fait rire François. Dans la chapelle royale de Dreux, s'avancèrent treize drapeaux tricolores, tenus par des anciens combattants, et seize enfants de chœur puis le clergé. Le cercueil de François, recouvert du drapeau français, était porté par huit chasseurs alpins du 7e BCA. On avait déposé dessus sa croix de la valeur militaire, sa légion d'honneur délivrée à titre posthume, ainsi que sa médaille commémorative d'Algérie.

Trois médailles qui figurent dans le petit mausolée dressé dans la chambre que le comte de Paris partage avec Mme Friesz. Cette femme est présentée comme son infirmière, voire comme sa dame de compagnie, ce qui provoque chez beaucoup un sourire. Le comte de Paris ne vit plus avec notre mère, son épouse, depuis plus de quinze ans. Personne ne l'ignore. C'est avec Monique Friesz qu'il poursuit sa vie.

Monique Friesz serait née en 1922. Certains de mes amis émettent des doutes. L'âge exact de cette femme est un secret bien gardé : coquetterie ? Très introduite au sein de l'UDF, elle a été liée à diverses personnalités, dont le célèbre imprimeur Firmin Didot. Cette mère de sept enfants a dirigé, de 1975 à 1993, le centre de gériatrie « Maison de santé et de cure médicale Comte de Paris », une institution administrée par la Fondation Condé et propriété de la Fondation Saint-Louis. Monique Friesz est devenue l'ombre de mon père. Cette omniprésence a quelque chose de gênant et, dans l'entourage de notre famille, beaucoup s'en offusquent. Elle a placé l'un de ses beaux-fils comme régisseur de notre chapelle royale à Dreux. Père, il est vrai, a plus d'égards pour les enfants de son « infirmière » que pour nous. Combien de fois ai-je dû essuyer quelques blagues stupides sur cette étrange « union », comme sur cette bicoque qu'ils partagent et où, devant des invités médusés, Monique Friesz sert du Monseigneur à tour de bras dans un décor de mauvais goût, tout en faisant admirer les nains de jardin en plastique qui ornent leur petit carré de pelouse.

5

Né à moi-même

20 juin 1997, 11 h

Cette fois la nouvelle me vient de Suisse. Le théâ-
tre de cette nouvelle humiliation est encore une
salle de vente aux enchères, toujours de Sotheby's,
mais à Genève. Comment avons-nous pu croire que
père avait renoncé ? Sommes-nous bêtes ! Au dernier moment, le 14 décembre dernier, la parure de
diamants, de saphirs et de perles fines de la reine
Marie-Amélie avait été retirée du catalogue de la
vente de Monaco. J'avais cru à un remords. Cette
parure, qui fut portée si dignement par maman, se
compose de bijoux entrés dans notre famille au
début du XVIIIᵉ siècle. Les pierres appartenaient à la
reine Marie-Amélie. L'ensemble fut façonné, à des
dates différentes, par les célèbres bijoutiers de la
Maison Bapst de Paris. La reine Marie-Amélie fut
l'épouse de Louis-Philippe, roi des Français de 1830
à 1848. Elle légua la parure, par testament de 1866,
à son dernier fils, Antoine, duc de Montpensier. Ce
dernier le laissa à sa fille unique, Isabelle d'Orléans,

49

comtesse de Paris. Son fils aîné Louis-Philippe, duc d'Orléans, en hérita. Mort sans postérité, il le légua à sa sœur et à son beau-frère le duc de Guise, dont le comte de Paris actuel, mon père, fut l'héritier. Tout cela pour que papa aille, un beau matin de mai, porter cet objet dans une vente aux enchères pour le bonheur anonyme d'un prince du Koweit. La parure était estimée à plus de sept millions, elle est partie à cinq.

24 juin 1997, 9 h 30

La maison est vide et silencieuse, la circulation sur la place Vauban est presque nulle. Paris prend déjà ses quartiers d'été et mes enfants ont fait de même. Ce calme est le bienvenu après l'agitation des derniers jours. Le 20 de ce mois, notre fils Charles-Louis, duc de Chartres, s'est marié avec Hélène Manos, une jeune femme née à Athènes que nous sommes fiers d'appeler belle-fille. Ma femme, Gersende de Sabran-Pontevès, est partie rejoindre les jeunes époux en Grèce. Nos enfants se sont mariés civilement à Paris, mais le 28, sur l'île de Skiatos, dans l'archipel des Sporades, ils s'uniront religieusement dans l'église Saint-Nicolas, grâce à un rite œcuménique orthodoxe et catholique. Demain, j'aurai cinquante-six ans. Je suis né le 25 juin 1941 à l'hôpital Lyautey de Rabat, au Maroc. Je serai seul pour mon anniversaire et cela ne me gêne pas. Le mariage de mon fils est le plus beau des cadeaux. Je suis content de pouvoir rester un peu tranquille avant d'aller affronter le millier d'invités qui se presseront autour de nous.

Ces derniers jours, beaucoup de choses me sont revenues en mémoire. Malheureusement j'étais trop occupé pour les noter. Les souvenirs sont des monstres sous-marins, ils hantent les esprits comme un loch écossais, ils nous narguent de leur présence diffuse. Lorsqu'on croit en tenir un, on ne fait que l'apercevoir. Il abandonne sur la pellicule de notre conscience l'image floue d'une courbe effleurant l'onde glacée. François, encore et toujours, s'impose à mes pensées. Pourquoi ? Je ne pourrai jamais le dire pleinement. De manière un peu curieuse, et même un peu artificielle, j'ai toujours lié la date de mon anniversaire à la sienne. Le 25 juin est une date proche du solstice d'été et le 15 août est celle de la fête de la Vierge. Le rapport n'est pas évident, mais enfant j'imaginais que ces dates avaient une secrète communion. Je m'étais inventé une théorie astrologico-mystique qui voulait que si Michel était mon jumeau physique, François était mon jumeau astral.

Dans la matérialisation de cette théorie secrète et enfantine, père joua un rôle aussi important qu'inconscient. Depuis 1956, j'avais trouvé une passion : je souhaitais vouer ma vie aux chevaux. Tous mes temps libres, je les passais au centre équestre de l'École militaire de Maffra, au nord de Sintra. Mes qualités de cavalier avaient été remarquées par le major Calado et le lieutenant-colonel Nettalmer, deux cavaliers portugais à la réputation internationale. Je m'entraînais quotidiennement et ils me firent participer à tous les concours accessibles

51

aux civils. Ma chambre se remplissait de coupes et je n'enlevais presque plus mes bottes d'équitation. Je voyais bien que tout cela énervait mon père, mais je n'y prêtais pas attention.

Au Portugal, nos résultats scolaires furent un peu meilleurs, mais nous dûmes redoubler notre première. En terminale, à la fin de 1960, contrairement à Michel, j'échouai au bac. Père me convoqua dans son bureau. Il avait son regard habituel, où se mélangeaient dégoût et lassitude. Pendant quelques minutes, il m'inonda d'injures, prononcées, comme d'habitude, avec calme et distinction. Il lui paraissait insensé que son fils puisse être un tel imbécile. Comment pouvais-je ignorer la vraie valeur des choses ? À croire que son sang et le mien n'étaient pas les mêmes. Je n'avais qu'une fonction dans la famille de France : l'humilier, lui personnellement, et de manière quotidienne, par mon comportement public et privé. Puis vint la condamnation : « Je pense que tu dois perdre, le plus rapidement possible, les illusions que tu nourris au sujet d'une quelconque carrière dans l'équitation. Je m'y oppose formellement. Je souhaite que tu cesses immédiatement tes virées au centre équestre de l'École militaire de Maffra. J'espère que tu ne crois tout de même pas être un bon cavalier ? »

Je ne pouvais pas répondre. Mes pieds étaient scellés dans le parquet. Je regardais fixement mon père, les poings serrés. Le souvenir de la dernière altercation entre mon père et François me revenait en mémoire. François hurlait : « Mais que voulez-vous à la fin... Si vous ne voulez pas que je continue, pourquoi m'avoir laissé commencer ? » Mon père, glacial, lui répondait : « Tu n'y connais rien ! Je ne reviendrai pas sur ma décision. Et maintenant sors ! » François avait hurlé encore quelques mots et l'on avait entendu la porte claquer. Quelque temps plus tard, il avait rejoint le camp militaire de Mont-de-Marsan, fermement décidé à faire, si ce n'est une carrière militaire, du moins un bout de chemin dans l'armée. François renonçait de ce fait à la carrière pour laquelle il s'était préparé, puisqu'il était sorti diplômé de l'Institut agricole de Beauvais. Face à mon père, étourdi par la haine qu'il me jetait au visage, ce fantasme de gémellité astrale entre moi et François se cristallisa. Je savais mon père capable d'utiliser ses relations privilégiées avec le gouvernement portugais pour attirer des problèmes au major Calado et au lieutenant-colonel Nettalmer. Comme cela avait été le cas pour François, père réduisait à néant mes objectifs de vie. Je n'avais plus le choix. Je devais partir le plus vite possible. Comme pour mon frère, la solution la plus évidente était l'armée.

25 juin 1997, 23 h 45

La journée s'est étirée lentement entre une multitude de formalités, de papiers d'assurances en retard et autres courriers de remerciement. C'est amusant, je me sens comme un adolescent devant ces pages que je noircis de mon écriture, au jour le jour. Enfant, je n'ai pas eu de journal intime. Aujourd'hui, j'éprouve un besoin irrépressible de témoigner. Je veux sortir de l'hypocrisie, du mensonge et des apparences. C'est déjà ce besoin qui, en 1961, me faisait fuir mon père. À cette époque, c'était une question de survie. Il me fallait comprendre qui j'étais et comprendre pourquoi cet homme, mon père, me rejetait.

Après mes classes à Fort-de-l'Eau, en Algérie, je fis l'École d'officiers de cavalerie à Saumur. Je voulais partir en Algérie le plus vite possible. Je voulais mettre mes pas dans ceux de François. J'étais sur sa trace. Je voulais voir les derniers paysages qu'il avait contemplés, ressentir ses dernières émotions. Je voulais communier avec lui, malgré le temps et au-delà de la mort, dans cette même fuite de notre père. Peut-être mourir là-bas, comme lui, tout simplement ! J'espérais je ne sais quelle chose exactement... et j'ai découvert mon âme. Je ne m'attendais pas à me découvrir aussi brutalement. Cette expérience fut un choc.

Je suis né à moi-même dans ce pays, l'Algérie, où je suis allé faire une guerre qui n'osait dire son nom. Certains trouveront cela d'un romantisme échevelé, et pourtant c'est un fait. En tout premier lieu, j'ai compris que la haine que m'inspirait papa était aussi une oppression sur ma vie. Si je voulais survivre, il fallait m'en débarrasser avant qu'elle ne me ronge comme un cancer. J'avais trop besoin de vivre. Une fois ma haine évaporée, je pus sonder le sens du mot amitié. Enfin, je repris confiance dans l'humanité. La décantation de mes sentiments et cette prise de conscience, véritable renaissance, se firent en plusieurs étapes. La première fut un réflexe de sécurité et de responsabilité. À Saumur, ma haine du monde était à son paroxysme, attisée par les adjudants qui nous harcelaient du matin au soir. J'étais une boule de violence. Les « juteux » savaient y faire. Leur image se superposait à celle de mon père. Tout y passait. À l'inspection quotidienne, si une boîte de cirage était mal fermée ou un lacet pas assez serré, nous dégustions. Pompes en série, marathon sous le soleil de midi et mitard étaient notre quotidien. Ces braves « juteux » avaient une affection toute particulière pour moi et s'amusaient à des blagues du genre : « Ce matin, Monseigneur, vous serez de corvée de chiotte ! » À ces crétins je me promettais de faire payer cher leurs petites tortures quotidiennes. En août 1961, avec mes galons de sous-lieutenant, je reçus mon affectation. Je devais rejoindre le 1ᵉʳ régiment de spahis et prendre le commandement d'une unité de reconnaissance en half-track sur la frontière tunisienne. Une mission dangereuse, mais que je considérais comme un honneur. Et puis, j'allais enfin me venger des « juteux », j'en aurais au moins trois sous mes ordres !

À mon arrivée sur le cantonnement, je pris soudain conscience de la réalité. Face à moi s'alignaient six jeeps et douze half-tracks. Devant ces véhicules, il y avait surtout une quarantaine de types que j'allais bientôt appeler « mes hommes » ! Pour la plupart, ils avaient entre dix-neuf et vingt ans : des appelés, des gamins à peine sortis de l'école, à qui on avait foutu un uniforme sur le dos et un fusil entre les mains. Les adjudants, eux, avaient de la bouteille. Le plus vieux avait servi sur tous les terrains d'opérations de l'armée française depuis 1942. Il avait fait la Tunisie contre Rommel, la campagne des Ardennes, l'Indochine... Tous étaient maintenant sous mon commandement. Leur vie allait dépendre de mes ordres et de mon aptitude à juger des situations. Le petit jeu était terminé. Le soir même, nous partions en patrouille. Notre balade sur les lignes ennemies devait durer quatre jours. Le premier soir, péniblement, je fis établir notre campement dans les règles du manuel militaire. Après le repas du soir, je fis venir l'adjudant le plus expérimenté. C'était un vieux brisquard à deux doigts de la retraite, il s'appelait Yves : « Je vais être clair, je sors de l'école, je n'ai jamais connu le feu, mes connaissances sont théoriques, je dois pouvoir compter sur vous pour prendre les bonnes décisions. Je ne veux pas être obligé, un jour, d'appeler la mère d'un de ces gosses. » Yves me regarda longuement, puis : « C'est une grande preuve de confiance que vous me faites, mon lieutenant. Vous pouvez compter sur moi ! » Yves a tenu parole. Il m'a fait profiter de son expérience à cent pour cent. Dans mon peloton, seuls deux hommes tombèrent sous les balles du FLN. S'il n'y en eut que deux, c'est en grande partie grâce à cet adjudant. Petit à petit, mon désir de vengeance m'apparut dérisoire face aux réalités et aux enjeux qui faisaient mon quotidien. Je savais que la haine ne pouvait pas nourrir ma vie d'homme, que la haine était un aveuglement.

26 juin 1997, 11 h 30

Cet après-midi, je prends l'avion pour rejoindre ma belle-famille et fêter avec elle l'union de nos enfants. Papa ne sera pas là, Maman fera le déplacement. D'ailleurs mon fils, Chartres, n'y attache pas une grande importance. Très longtemps j'ai espéré, même encore un peu aujourd'hui, qu'un jour mon père m'accepterait tel que je suis. Combien de fois ai-je fait l'effort de revenir vers lui, dans l'espoir d'un signe, d'un geste d'affection qui n'aurait pas été commandé par la présence de journalistes ou quelques bienséances mondaines. Cela m'a toujours été violemment refusé. Peut-être devrais-je dire que cela nous a toujours été violemment refusé, car pour mes frères et sœurs la situation a été analogue.

La première fois où j'ai cru avoir un rapport d'égal à égal avec le comte de Paris, ce fut à la fin de ma première période militaire. J'avais acquis une certaine assurance, mes jugements sur les hommes et les situations étaient teintés d'une certaine lucidité, plus encore je me sentais débarrassé d'un terrible fardeau : les critiques de mon père ne pouvaient plus m'atteindre. J'avais l'intuition qu'il pouvait enfin me regarder autrement. Je n'avais pas encore sondé sa complexe réalité. Le 1er novembre 1961, je quittai l'Algérie, en permission, heureux de rentrer en France. C'est en uniforme que je fis mon entrée au manoir du Cœur-Volant, à Louveciennes.

Papa m'attendait et me prit dans ses bras, il me souriait en m'embrassant. Je n'en revenais pas, j'étais bouleversé. Maman rayonnait. Tout ça pour moi ! D'une certaine manière, nous vivions des instants communs à des milliers de familles françaises, nous resserrions les rangs alors que la nation sombrait dans la confusion, que des bombes explosaient par dizaines. L'OAS frappait en Algérie, en France, et même à Paris. L'indépendance de l'Algérie semblait s'imposer dans les esprits, elle paraissait inévitable.

Personnellement, je ne condamnais pas totalement l'OAS. La violence aveugle me dégoûtait, mais je ne pouvais oublier ces harkis, leurs femmes et leurs enfants, tous ceux que la France ne pourrait rapatrier et que nous allions abandonner. Certains se rassuraient en prétendant que le FLN garantirait leur sécurité, mais ceux, comme moi, qui avaient été au combat savaient ! Les Algériens ne leur pardonneraient rien. Ils allaient à une mort certaine. Dans le grand salon de Louveciennes, devant ma sœur, Michel, maman et papa, qui m'avaient interrogé sur ma vie en Algérie, je donnai mon sentiment exact sur les événements. Papa baissa les yeux. Je m'adressai alors directement à lui :

« Père, je dois l'avouer, cela vous surprendra, mais sur la frontière tunisienne j'ai souvent pensé à vous. Je me suis rappelé, notamment, ce que vous écriviez dans votre bulletin du 21 février 1956. Le titre donné au numéro était : "Le problème algérien". On y lit : "Quand les armées reculent devant trop forte pression, le commandement s'assigne une ligne d'arrêt, c'est la Marne où l'on se bat à mort, parce que l'existence de la nation est en jeu. L'Algérie, c'est pour la France cette ligne-là, car elle est la clé de voûte de l'Afrique française, et la perdre c'est tout perdre..." Dans votre bulletin du 25 mai 1957 vous affirmiez aussi : "Le maintien du drapeau français de Bône à Oran apparaît tout aussi impérieux, qu'on raisonne en termes stratégiques, politiques, économiques..." Ces phrases, ces mots, sur le terrain, prenaient un sens puissant. »

Mon père avait plongé son regard dans le mien dès que je me suis adressé directement à lui. À peine avais-je fini ma première phrase, il rebaissa la tête. Il regardait ses chaussures comme un penseur, las. Ma mère s'était figée, sous le coup de la stupeur. Michel me dévisageait essayant, visiblement, de me dire quelque chose. Ma sœur feignait de se désintéresser de notre conversation. Je continuai : « Il est bien clair que nul ne peut endiguer le malheur qui s'abat sur la nation. Mais je suis fier de m'être livré à des actions symboliques. Croyez-moi, je suis devenu un expert en explosifs. Sur mon secteur, en Algérie, pas une maison de colons français rapatriés en métropole n'est tombée entre les mains du FLN. Et lorsque je n'avais pas d'explosifs, nous détruisions tout avec nos half-tracks. »

Maman soudain se leva : « Si nous voulons aller au cinéma, nous devons dîner maintenant, car la séance est à 20 heures. » Comme nous passions à table, Michel me prit par le bras : « On peut dire que tu fais très fort ! Tu ne pouvais pas attendre un peu avant de chambrer le vieux ? » Je le regardai

sans comprendre. Il insistait : « Tu l'as fait exprès ?
Ne me raconte pas de blagues. » Je ne comprenais
toujours pas : « De quoi tu parles ? » Après un court
silence, Michel m'expliqua : « Mais papa a retourné
sa veste ! Il soutient à fond le général de Gaulle. Il
s'est déclaré publiquement pour l'indépendance de
l'Algérie. Tu n'imagines pas le foin que ça a fait chez
les vieilles barbes maurrassiennes de sa garde rap-
prochée. » Le sol se dérobait sous mes pieds : « Mais
comment est-ce possible ? » Michel souriait, cela
l'amusait : « C'est exactement ce que disent la plupart des monarchistes. Papa a reçu des lettres de
personnalités qui le soutenaient depuis plus de quarante ans, elles lui ont annoncé qu'elles abjuraient
leur foi royaliste. Beaucoup d'autres prétendent que
papa a cessé, une fois pour toutes, d'incarner le
principe monarchique. Pierre Boutang, le directeur
du bulletin de papa, reste fidèle et s'échine à expliquer que c'est au nom du réalisme que le paternel
a fait ce choix. Il tente de convaincre que l'on ne
doit pas gaspiller ses forces dans une cause perdue.
Il explique aussi que c'est par machiavélisme que
papa soutient le Général. Certains pensent qu'il se
ménage un avenir. Le général de Gaulle lui remet-
tant la couronne, tout deviendrait possible... »

L'ambiance du dîner fut assez maussade. J'étais
sous le coup de ce malentendu gigantesque. La
conversation fut d'une banalité confondante et le
cinéma une bénédiction. Au moins, pendant plus
d'une heure, personne n'avait à parler. Le film me
parut fade, lent et ennuyeux, mais à la sortie, en
souriant, j'affirmai m'être amusé. Papa ne me regar-

dait plus. Le silence régna dans la voiture jusqu'à l'approche du Cœur-Volant. Devant la grille, une multitude de voitures de police étaient garées. Partout dans la propriété, il y avait des CRS et les pompiers s'affairaient sur les ruines fumantes de l'aile gauche du manoir. À peine le comte de Paris eut-il posé le pied à terre, que des policiers en civil l'entourèrent : « C'est une bombe, Monseigneur, du plastic. Le feu est éteint et il n'y a plus de danger. Nous avons retrouvé un tract de l'OAS. L'engin a explosé une demi-heure après votre départ. » Mon père se retourna pour me chercher du regard. Il me vit. Je lus dans ses yeux que sa conviction était faite : pour lui, j'étais l'auteur de l'attentat.

Par chance, nos chambres n'avaient pas été touchées et nous pûmes nous coucher. Le lendemain matin, sans avoir dormi, je me levai très tôt. En proie à une profonde confusion, j'hésitais. Quelle devait être ma réaction ? Je voulais fuir de nouveau. Mon père me répugnait. Comment pouvait-il me croire capable de placer une bombe dans cette maison où vivait ma famille ? Comme il devait me mépriser ! Je devais déjeuner sur les Champs-Élysées avec un cousin que je n'avais pas revu depuis plus de quatre ans. J'avais prévenu papa, la veille, que je serais absent. Je remis donc mes réflexions à plus tard. Alors que je remontais les Champs-Élysées à pied pour rejoindre le Fouquet's, cinq hommes me ceinturèrent : « Police ! Veuillez nous suivre ! » Quelques minutes plus tard, je me retrouvai place Beauvau, au ministère de l'Intérieur, assis dans un bureau de la brigade spéciale de lutte anti-OAS et soumis à un flot de questions aussi stupides que désobligeantes.

Mon père m'avait « balancé » aux flics comme principal suspect de l'attentat. Mon interrogatoire dura toute la journée. Rien ne pouvant être retenu contre moi, je fus libéré en début de soirée. Je rentrai à Louveciennes pour faire mes bagages. Avant de partir, j'allai voir maman. Elle se doutait de la situation et pleurait. Lorsqu'elle me vit, elle comprit sur-le-champ et ses larmes redoublèrent. Ce « énième » épisode conflictuel me procura un violent sentiment d'injustice. Un sentiment auquel j'étais presque habitué, mais cette fois aucune culpabilité ne me hantait. Père m'apparaissait empêtré dans ses contradictions. Je me permettais enfin de le juger et, plus encore, je discernais les motivations, les peurs et les rancœurs qui le faisaient agir. Pour la première fois, j'étais à deux doigts de le comprendre. Nul doute qu'il devait se sentir piégé et en parfaite contradiction avec les valeurs qu'il prétendait défendre. Une situation douloureuse qui devait le rendre encore plus teigneux et quelque peu paranoïaque !

Comment en était-il arrivé là ? Quel parcours, quel cheminement avait-il suivi pour sacrifier à ce point ses engagements ? L'un des avantages de la monarchie – je l'avais tant de fois entendu dire ! – devait être de garantir l'intégrité du territoire national. L'homme qui était censé incarner cette idée ne l'incarnait plus. En soutenant la politique gaullienne, le comte de Paris bafouait les principes fondateurs de la monarchie. Notre famille avait été à l'origine de la conquête de l'Algérie, la République seule était responsable de la dégradation de la situation algérienne qui, elle-même, rendait inévitable l'indépendance. Ce n'était pas au chef de la famille de France de venir soutenir cette politique républicaine dans son aboutissement fatal. La prise de position de mon père contredisait trop abruptement la philosophie dont il s'était fait le champion. Cette bizarrerie m'incita à me documenter, je voulais comprendre ce revirement. Michel, à Louveciennes, ce 3 novembre 1961, avait évoqué la justification des positions de papa, mais ces comportements machiavéliens m'apparurent vite dérisoires. Dans son livre : *Le Comte de Paris, un cas politique*[1], Jean Bourdier écrivait : « Il est des moyens que, même pour conquérir le pouvoir, un homme, surtout s'il est prince, ne peut employer parce qu'ils coûtent trop cher. Vouloir restaurer un régime par des moyens qui portent en eux la négation même des principes sur lesquels doit être fondé ce régime ne constitue pas seulement un reniement, mais une aberration pure et simple. Or, on n'a jamais vu une solution d'avenir sortir d'une aberration ou d'un reniement. Les régimes fondés sur de telles bases se sont toujours révélés des impostures passagères. » À cette vision des choses, la grande majorité des royalistes se ralliait. Papa n'aurait pu, lui-même, s'il n'avait été le comte de Paris, avoir un autre sentiment.

Tout cela ne m'expliquait pas la raison profonde de son revirement. L'un de mes cousins, qui savait

---

1. La Table ronde, 1965.

la force de mon interrogation, me fit parvenir, en Algérie, un article paru dans le quotidien britannique *Evening Standard* qui d'ailleurs fut repris par la presse française. On y parlait de Jacobi, l'homme d'affaires de papa, qui, par une gestion pour le moins imprudente, lui avait fait perdre cinq cents millions de francs. Jean Jacobi avait été membre de l'Action française. Il avait rencontré le comte de Paris à Londres en 1949 et était devenu son fondé de pouvoir. Jouissant de la double nationalité franco-suisse, il était aussi fondé de pouvoir de la banque Lambert-Beitz. Un moment courut la rumeur étrange que le comte de Paris était tenu par le gouvernement en raison de cette déroute financière. Jamais je n'eus un seul élément accréditant cette théorie. Le mystère du revirement de papa demeura. Par la suite, je devais en constater bien d'autres. C'est aujourd'hui seulement qu'ils prennent un peu de sens.

6

L'énigme de mon père

3 juillet 1997, 16 h 20

Mon père aura quatre-vingt-dix ans après-demain.
En longévité il bat Charles X (1757-1836) de onze
ans, Louis XIV (1638-1715) de treize ans, et même
Louis-Philippe (1773-1850). Le comte de Paris est
né le dimanche 5 juillet 1908, au « Grand Château »
du Nouvion-en-Thiérache, dans l'Aisne, sur les terres du duc de Guise. Ondoyé le 19 juillet, il ne fut
baptisé que le 25 novembre. Trois sœurs l'avaient
précédé. Il passa sa vie à se battre avec elles, pour
des jouets, des héritages et bien d'autres choses
encore. D'une certaine manière, le comte de Paris
est devenu pour moi un objet d'étude, une énigme
sur laquelle je travaille en réunissant des indices.
Cela peut paraître étrange à ceux qui ignorent la
réalité de notre famille, mais c'est ainsi. Mon père
représente le plus important dossier de mes archives
personnelles. C'est l'unique concrétisation de notre
relation. Dans ce dossier s'empilent des procès, des
documents historiques, des lettres d'insultes et des

traces de scandales étouffés. Ce ne sont pas exactement les souvenirs chaleureux que l'on peut souhaiter entre un père et son fils.

L'envie de me documenter sur mon père est née d'une expérience particulière, alors que mes interrogations sur lui se multipliaient. Elle se déroula, comme il se doit, en plein désert. Nous étions à la fin mars 1962, les accords d'Évian étaient en pleine négociation, le cessez-le-feu avait été décrété et il ne restait qu'à l'appliquer. Nos directives étaient claires : nous ne devions pas ouvrir le feu sur le FLN, sauf si des troupes passaient la frontière et que la dissuasion de notre présence ne suffisait pas à leur faire rebrousser chemin. Une directive logique, mais extrêmement difficile à appliquer, surtout pour des unités de reconnaissance comme la nôtre. Nous étions en patrouille du côté de Aïn-Blida. Diverses sources nous avaient informés de l'imminence d'une réunion du FLN dans la région de Constantine. J'avais avec moi un peu moins de vingt-cinq hommes. Un matin, alors que nous redescendions de l'autre côté d'une colline et que nos véhicules soulevaient un important nuage de poussière, nous nous sommes retrouvés face à une colonne du FLN. Ils étaient à moins de huit cents mètres et leurs forces étaient considérablement supérieures aux nôtres. Il y avait quatre-vingts soldats lourdement armés, notamment de mortiers, le tout à bord de véhicules légers. Nos troupes étant à découvert, nos chances étaient limitées. Comme ils nous avaient repérés, ils s'étaient arrêtés. Le cessez-le-feu en vigueur, ils nous observaient et attendaient notre réaction.

Je donne des ordres et je monte dans une jeep. Seul avec un chauffeur, nous nous dirigeons vers la colonne du FLN. Derrière, mes hommes se sont déployés. Devant, ils s'agitent aussi dans tous les sens. À moins de deux cents mètres de l'ennemi, nous sommes mis en joue par cinq mitrailleuses et une bonne trentaine de fusils d'assaut. Nous avançons doucement. Mes hommes ont l'ordre de ne pas tirer, quoi qu'il arrive. En quelques secondes nous sommes au contact, immédiatement entourés par quatre-vingts fellagas nerveux, le doigt sur la détente. Je demande à parler au chef. Un premier homme, la kalachnikov pendante, se présente :

« Je suis le chef. Qu'est-ce que tu veux ?

– Tu n'es pas le chef. Tu n'as pas la classe d'un chef, je ne parle pas avec toi ! Amène-moi à ton chef, j'ai une proposition à lui faire. »

Cet homme m'aurait tué s'il avait pu, mais la situation ne l'y autorisait pas. Sous bonne escorte, on me guide vers une jeep où je fais la connaissance du chef de cette bande. L'homme se redresse et me tend la main :

« Bonjour, lieutenant d'Orléans. Je suis très heureux de rencontrer un prince de France. Permettez-moi tout d'abord de vous présenter nos excuses et nos condoléances. Pour votre frère François, qui est mort, je crois, en petite Kabylie. Votre frère est parti dans l'honneur. Et c'est la guerre ! »

Je n'en reviens pas. Il sait tout de moi. Je lui réponds que j'apprécie ses paroles et qu'effectivement mon frère est parti dans l'honneur. Je suis là pour lui faire une proposition :

« Vous n'avez pas le droit d'être là. Je souhaite qu'il n'y ait pas de problèmes. Nous vivons des instants décisifs pour nos deux pays, nous ne devons pas prendre de risques. Je vous fais une proposition. Vous faites demi-tour, vous repassez la frontière, et je vous donne deux heures. Pendant ces deux heures, je ferai silence radio. En clair, je ne signalerai votre présence à l'état-major que dans deux heures. Vous pourrez rentrer chez vous sains et saufs. Si vous refusez, nous aurons un accrochage et, dans moins d'une heure, j'aurai des renforts. En tout état de cause, au minimum, nous vous ferons subir des pertes considérables et notre engagement risque d'avoir des répercussions dramatiques sur le cessez-le-feu. »

L'homme me regarde longuement et, sans hésiter, accepte. Immédiatement, nous quittons sa colonne avec sa promesse de repli.

Le jeu en valait la chandelle. S'il y avait eu combat, face à leurs forces, nos chances étaient nulles d'en ressortir vivants. Les renforts que nous pouvions espérer ne mettraient pas une heure, mais au moins deux pour nous rejoindre. Dans notre position, nous pouvions tenir au maximum une demi-heure. D'une certaine manière, je venais de sauver la vie d'une bonne partie de mes hommes. Je n'en revenais pas, j'étais fier d'avoir évité un combat.

L'homme qui commandait cette colonne du FLN tint parole. Ses troupes firent demi-tour. Tous les quarts d'heure, l'état-major prenait contact avec moi. Tous les quarts d'heure, je faisais répondre : « Silence radio. » À mon retour à la base, les huiles me sont tombées dessus. Le colonel hurlait :

« Mais, d'Orléans, vous êtes tombé sur la tête ! Il fallait nous appeler. On aurait rappliqué avec des blindés. On leur serait rentrés dedans ! »

Je bouillonnais :

« C'est ça, vous seriez arrivé deux heures plus tard pour compter les survivants. Excusez-moi, mon colonel, mais pour cette comptabilité, une main vous aurait suffi. Et pour quel résultat ? Dans quelques semaines l'Algérie ne sera plus française ! Vous le savez aussi bien que moi. Alors, il fallait faire tuer ces gamins ? Pourquoi ? Pour qui ? Pour l'honneur ? C'est vous qui auriez expliqué aux mères que leur enfant était mort pour qu'un officier puisse jouer à la guerre ! La France a besoin d'eux vivants, mon colonel. »

Ces paroles étaient sorties sans même que je le veuille vraiment. J'avais effectué des choix, ils me semblaient logiques et humains, évidents. Comment aurait-on pu en faire d'autres ?

À cet instant précis, alors que le colonel, désespéré, avait tourné les talons devant mes arguments, je me suis demandé si mon père avait, ne serait-ce qu'une fois, ressenti ce sentiment d'absolue certitude d'être dans le vrai. Il me devint nécessaire de faire l'inventaire des actions majeures du comte de Paris. Peut-être y trouverais-je cette clé qui me manquait, cet indice indispensable pour résoudre l'énigme de mon père. Je rentrais dans ce que j'ai défini depuis comme le premier cycle de recherches que j'allais mener sur mon géniteur. J'ignorais à quel point les questions allaient se multiplier et à quel point les réponses, comme des mirages, allaient s'évaporer à mon approche.

14 juillet 1997, 17 heures

Cette journée reste étrange pour notre famille. Je ne me sens pas particulièrement concerné par les enjeux de la prise de la Bastille et les festivités qui s'y rattachent m'ont toujours laissé froid. La qualité d'une fête se mesure à la qualité de ceux qui y participent, les dates n'ont que peu d'importance. Ce jour-là, il suffit que j'entre dans une pièce pour qu'une gêne s'installe. Ceux qui connaissent mes titres, et ne sont pas pour autant des intimes, prennent des mines de deuil et se fendent d'un regard compatissant. Le 14 juillet crée autour de moi une atmosphère de condamné à mort, de futur guillotiné. Cela m'amuse beaucoup. Généralement je suis à Marseille, c'est une période importante pour la société Ricard auprès de laquelle je suis conseiller depuis janvier 1993. Dans les réceptions où je suis invité, je me régale du spectacle de ceux qui n'osent lever leur verre trop haut devant moi.

Les dates, le souvenir historique, les commémorations ont toujours joué un rôle important dans la vie de mon père. La couleur des gerbes qu'il ferait déposer, la tenue qu'il arborerait tel jour, la position dans laquelle il apparaîtrait dans une manifestation, ou son absence, le petit mot qu'il laisserait échapper, tout lui demandait des heures de travail avec ses meilleurs conseillers. Il fallait calculer, minuter, dicter. Les deux dernières grandes commémorations sur lesquelles il a voulu faire planer son ombre ont été celles du bicentenaire de la Révolution française et celle du Millénaire capétien. En ces occasions, la déliquescence de sa « ligne politique », le vrai visage de ses amitiés et les illusions de sa vie sont devenus palpables. Une mise en scène écœurante pour ceux qui, déjà, avaient perdu leur foi, et douloureuse pour les autres qui, comme nous, connaissent la réalité.

La célébration, en 1987, du Millénaire capétien fut ressentie par mon père comme un véritable hommage admiratif de la République aux quarante rois qui ont fait la France. Un hommage dont il aurait été le destinataire symbolique. Ce pauvre ersatz de sacre, dans lequel l'entretenaient, comme du chocolat de luxe dans une boîte à confiseries, de nombreux hommes politiques, François Mitterrand et ses affidés, en firent une sorte de mascarade. Elle n'avait qu'un but : enfler plus encore l'ego démesuré de papa. Le mobile exact m'échappe encore aujourd'hui. J'ai le sentiment qu'il s'agissait d'un aboutissement, du développement fatal d'une dynamique qui liait des hommes, des entités et des intérêts depuis fort longtemps et qui, à cette occasion, offrit le spectacle de leurs rêves déchus. Jean Favier, directeur des Archives nationales, ne compta pas ses efforts. Il réunit des pièces rares afin d'honorer, par une exposition remarquable, l'histoire du sacre des rois de France, sujet sur lequel papa venait, comme de bien entendu, de publier un livre, *Les Rois de France et le Sacre,* aux éditions du Rocher. En mars 1987, le comte de Paris inaugura l'exposition, en présence de Jean-Claude Colliard, directeur du cabinet du président de la République et de François Léotard, ministre de la Culture. Cette cérémonie marquait le coup d'envoi des festivités officielles. Le 3 avril, au côté de François Mitterrand, père assista à un son et lumière dans la cathédrale d'Amiens. Le comte de Paris était de toutes les fêtes, de tous les colloques, et en retira un sentiment parfaitement erroné. Il se persuada que la France tout entière se passionnait pour la monarchie, alors qu'il ne s'agissait que de mondanités bourgeoises et souvent provinciales. Il crut y voir un sursaut royaliste, alors que ce n'étaient que des notables de sous-préfectures qui l'entouraient, affamés d'honneurs faciles, fiers d'être sur une photo la main posée sur l'épaule d'un vrai prince de France. Il ne vit pas que ce public venait à lui comme il le ferait pour une quelconque starlette du petit écran, une animatrice de podium dans la caravane du tour des Vosges. Dans cette ambiance de murs lézardés, de dorures en plastique et de tentures déchirées, le comte de Paris se sentit inspiré. Il estima que le prince Jean était suffisamment mature pour être préparé à sa future tâche. Le prince Jean, né le 19 mai 1965 à la clinique du Belvédère à Boulogne-Billancourt (Hauts-de-Seine), fut titré duc de Vendôme le 27 septembre 1987, lors de la journée d'« apothéose » des commémorations du Millénaire capétien.

Vendôme n'est autre que le fils d'Henri, comte

de Clermont, dauphin de France, fils aîné du comte de Paris. Cette volonté affichée par papa de préparer Vendôme au rôle qui lui incombe ouvrait un volet supplémentaire dans une guerre ubuesque, et piètrement masquée, que le comte de Paris livrait à son fils. Père avait banni mon frère Henri de la famille depuis le 31 octobre 1984, date de son remariage. De ce jour fatidique, il n'a pas cessé d'instrumentaliser son petit-fils contre son fils, laissant constamment entendre que la succession au titre de chef de la Maison de France pourrait sauter une génération.

Papa avait une haine folle. Son fils aîné, son dauphin, avait osé lui désobéir et vivre par lui-même. Son fils, dont les traits en font presque un jumeau de papa, avait osé refuser de plier à ses injonctions. Car papa avait interdit à Henri de se remarier, il l'avait même menacé des pires châtiments dynastiques ! La petite histoire de cette fièvre paternelle est un monument d'hystérie, un salmigondis psychodramatique. Le paroxysme de cette crise eut donc comme cadre les festivités du Millénaire capétien, cette merveille de douceur que surent réserver les politiques à Monseigneur, cet acte exemplaire de dévotion artificielle qu'il savoura pompeusement. Tout enflé de cette dévotion en trompe-l'œil, il pensait enfin être en mesure de porter un coup ultime à Henri, son dauphin. Papa trimbala donc le prince Jean dans tous ses déplacements officiels, le présenta aux journalistes et aux notables en lieu et place du dauphin. Père est un grand stratège ! L'idée de manipuler le prince Jean pour blesser

Henri lui fut sans doute dictée par l'intérêt supérieur de sa mission, c'est là, j'en suis certain, ce que fut son *credo*. Belle mission ! Un énorme sac d'orgueil et de haine qui ne demandait qu'à exploser.

7

La mascarade d'Amboise

5 août 1997, 8 h 15

Ce matin en relisant les quelque soixante pages de ce journal que je traîne avec moi depuis quelques mois, un sentiment de grand gâchis m'a envahi. Jamais je ne pourrai m'y résigner, aucune fatalité ne me fera accepter l'injustice qui est faite à notre famille. À ces mots et à ces lignes, je me raccroche comme à une bouée, j'aimerais tellement que par eux surgissent un peu de lumière et un peu d'amour. Hier, j'ai commencé à brosser le récit de cette guerre qui opposa papa et Henri. Pour bien en comprendre les véritables enjeux, il faut remonter assez loin en arrière. Henri a épousé, en premières noces, la duchesse Marie-Thérèse de Wurtemberg, le 5 juillet 1957, jour anniversaire de la naissance du comte de Paris. C'est dire à quel point ce mariage cristallisait les espoirs de papa, pour qu'il lui soit offert en cadeau de ses quarante-neuf ans. La Maison royale des Wurtemberg représentait une alliance parfaite pour la Maison de France. Connue historiquement dès le IXe siècle, implantée en Allemagne et en France, elle est devenue Maison royale en 1805 grâce à Frédéric Ier, roi de Wurtemberg. Cette famille est aussi liée à la Maison d'Autriche par diverses alliances. Ce mariage rapprochait donc deux grandes familles d'Europe. Tout un symbole, en phase avec la fameuse politique européenne constituée autour de l'axe franco-allemand. Une politique voulue par de Gaulle et applaudie par papa. Plus qu'un mariage, en épousant Marie-Thérèse, Henri signait un acte politique comme les aime le comte de Paris.

Mon frère n'en était pas conscient lorsqu'il convola en justes noces. Il était tellement façonné par le moule que lui avait imposé la famille qu'il suffisait de peu de chose pour que père lui imprime sa volonté. Le mariage fut royal. Cinq mille invités se pressèrent à la réception. Henri eut pour témoins Paul Ier, roi des Hellènes, et le comte de Barcelone. Son épouse, plus simplement, avait choisi ses deux frères. Ils échangèrent leur consentement devant un parterre impressionnant de têtes couronnées, mais aussi de caméras et d'objectifs venus du monde entier. Cette publicité planétaire, orchestrée de main de maître, fit le bonheur de papa. On comprend, dès lors, la colère titanesque qui fut la sienne le jour où Henri annonça son remariage, alors que son divorce avait déjà provoqué sa rage. Aux journalistes qui demandaient à Henri ses motivations pour une telle union, celui-ci répondit simplement : « Parce que j'ai jugé cela plus décent. Et Micaëla est plus utile à côté de moi que derrière une porte. »

Il est vrai que mon frère partageait la vie de Micaëla Cousino depuis plus de dix ans.

Le jour même du mariage, le comte de Paris signa des actes qu'il affirma avoir pouvoir de décret dynastique. Les lettres de plomb frappèrent avec vigueur le papier à en-tête aux armes de la famille de France. En quelques phrases, son fils fut écarté de la succession royale et le comte de Paris lui retira son titre de comte de Clermont pour l'affubler de celui de comte de Mortain. La guerre était officiellement déclarée. D'un trait noir de machine à écrire, papa tentait d'anéantir tout ce pour quoi son fils avait été préparé depuis cinquante et un ans. Le comte de Paris ne le voulait plus comme dauphin. Papa le fit savoir, le communiqua, le répéta... mais ces choses-là ne sont pas si simples. Les lois héraldiques qui régissent le fait de donner ou reprendre un titre affirment que ce pouvoir réside uniquement entre les mains des altesses sacrées et régnantes. Plus encore, le divorce et le remariage sont des pratiques relativement récentes et l'on ne pouvait statuer positivement sur les lois dynastiques régissant la famille de France et affirmer définitivement qu'Henri, par son remariage, n'était plus dynaste. En clair, papa ne pouvait pas invoquer les traditions et les lois de la famille de France pour lui interdire d'être son dauphin. Sa rectitude de père, prétendant prendre ses décisions la mort dans l'âme et affirmant que son devoir terrible était d'appliquer la règle, était une forfaiture.

La polémique s'enflamma. Tous les proches de notre famille savaient que le comte de Paris lui-même ne vivait plus avec maman, mais avec son « infirmière », Monique Friesz. L'agressivité de papa contre notre frère avait une autre source que les lois dynastiques. Sa dureté était alimentée par le comportement du comte de Clermont, mais le remariage n'était qu'un prétexte. Doucement mais irrémédiablement, le carcan dans lequel papa avait enfermé Henri s'était fissuré. Longtemps, notre frère a refréné sa véritable identité pour se plier aux quatre volontés de papa. Henri, comme nous tous, avait une sensibilité artistique. Très jeune, il se passionnait pour la peinture. Cela ne fut pas jugé convenable. Papa en fit même un sujet de moquerie, comparant ses tableaux aux serrures de Louis XVI. Il ignorait qu'Henri peignait en cachette. Bien des années plus tard, alors qu'il ne trouvait plus de satisfactions dans sa vie professionnelle, notre frère osa revendiquer son talent. Il présenta une première exposition, au printemps 1974, dans une galerie de la station des Arcs, sur le thème de Paris. L'initiative fut moyennement appréciée par papa. Marie-Thérèse, la femme d'Henri, ne goûta guère, non plus, cette escapade artistique de son mari. L'incompréhension s'installa entre les époux. Henri rêvait d'une autre vie et se sentait comme étranger à sa femme. Dans son livre *À mes fils*[1], il écrit : « Une immense désespérance m'avait envahi le cœur, je me sentais à nouveau chassé, rejeté, délaissé. Votre mère et moi avions beau tenter un rapprochement, tout semblait nous séparer... Nous n'avions pas les

---

1. Albin Michel, 1990.

mêmes lectures, ni les mêmes goûts ; et puis elle n'avait jamais pu admettre ma peinture, cette créativité qui est en moi... »

C'est aussi à cette époque que notre frère fit une découverte qui devait profondément le déstabiliser. L'un des proches conseillers du comte de Paris, las du comportement de papa, fit des confidences. Henri apprit que son mariage avait été fortement « souhaité ». Il découvrit, en grand naïf mais avec un profond désespoir, que la publicité faite autour de cet événement avait été un outil de propagande politique. On lui montra des courriers entre le général de Gaulle et son père qui attestaient d'un arrangement là où il avait cru agir par amour. Cette révélation fut un cataclysme. Le 23 février 1977, Henri obtint la séparation de corps et de biens par jugement du tribunal de grande instance de Paris.

Ces années qui vont de 1974 à 1977 ne furent pas faites que de déchirements. Le 21 janvier 1974, Henri rencontra Micaëla Cousino. Elle avait trente-six ans, était alors assistante de presse chez Stock. Elle était belle. Il raconte ainsi l'émotion qu'il ressentit lors de leur rencontre : « ... Si la solitude et la proximité de la mort ont bien souvent été à mes côtés depuis mon enfance, ce 21 janvier 1974, un sourire amical sut me tirer vers d'autres horizons. À compter de cet instant, je choisis d'exister debout et non de me coucher dans la contemplation narcissique... » Cette rencontre, qui mit un certain temps à se cristalliser, fut l'occasion d'une véritable renaissance pour Henri. Il trouva enfin sa voie, exprima sa véritable personnalité. Micaëla l'encouragea à peindre et à écrire. Les sombres pensées qui l'accompagnaient depuis son enfance, et qui l'avaient conduit à des gestes extrêmes à plusieurs reprises, se dissipèrent. Il dessina alors des lignes de bagages, créa un parfum, se lança dans le stylisme et s'installa enfin un véritable atelier. Il se débarrassa de l'ombre de papa, au point de s'intéresser publiquement à la politique. En 1982, il fut invité à Grenoble par le cercle Honoré d'Estienne-d'Orves, et donna une remarquable conférence sur le thème « Royauté et démocratie ». Puis il fut invité par le Cercle Interallié à Paris où il s'exprima sur le mécénat. Dans le même temps, les idées de notre frère évoluèrent, sans doute sous l'influence de Micaëla. Ses positions se rapprochèrent du centre-gauche et il se rendit à la fête de L'Humanité où il rencontra des communistes monarchistes ! En 1984, il fonda le Centre d'étude et de recherche sur la France contemporaine. Cette même année son divorce fut prononcé, le 3 février.

Tous ces événements étaient connus du comte de Paris qui, de plus en plus, coupait les ponts avec Henri. Père ne supportait pas que son dauphin, sa chose, celui qu'il considérait inconsciemment comme son clone, puisse s'émanciper. Pourtant Henri ne faisait que suivre la voie nécessaire à l'acquisition d'une expérience qui lui permettrait, un jour, d'assumer son rôle de chef de la Maison de France. Père refusait absolument une telle idée. Elle préfigurait peut-être trop lisiblement sa fin, pourtant inéluctable. Sa rage devenait de plus en plus visible et il contenait difficilement sa colère, lorsqu'en public les initiatives de son fils étaient évoquées devant lui. Quelques proches s'offusquèrent d'entendre papa traiter Henri d'« imbécile » et de « crétin ».

Le premier acte de rétorsion du comte de Paris contre son fils fut donc de soutenir Marie-Thérèse de Wurtemberg. L'idée était bien pensée. Il prenait le rôle valorisant du grand-père généreux et protecteur et offrait au public, et à la presse alléchée par l'odeur du scandale, l'image d'une mère abandonnée par son indigne mari. Pour ce faire, le 22 février 1984, le secrétariat du comte de Paris publia un communiqué : « Monseigneur le comte de Paris entend confirmer l'appartenance de sa belle-fille, la duchesse Marie-Thérèse de Wurtemberg, à la Maison de France comme mère des jeunes princes et en particulier du prince Jean de France qui incarnera à l'avenir les traditions et les espérances de la Maison de France et lui accorde le titre personnel et viager de duchesse de Montpensier. » Ce communiqué, publié le 2 mars 1984 dans *Point de Vue, Images du Monde*, provoqua une réponse immédiate du comte de Clermont. Il expliqua que c'était à sa demande que son père avait donné à sa belle-fille le titre de duchesse de Montpensier, choisi par le comte de Paris. Plus encore, il rappela que son père, en lui conférant le titre de comte de Clermont en 1957, en avait expliqué publiquement la signification : « En accord avec les traditions de la famille de France, incarner le principe dynastique de primogéniture. » Enfin, il confirma que, le moment venu, il transmettrait ce titre à son successeur, qui incarnait également l'avenir. Henri coupait l'herbe sous les pieds de papa. Son attaque tombait à l'eau.

Mais la vengeance paternelle mijotait déjà. Le comte de Paris et Marie-Thérèse de Wurtemberg, qui ne pardonnaient pas à Henri d'avoir divorcé, s'unirent pour une campagne, non concertée, de sous-entendus, de chantages affectifs et de condamnations pures et simples, qui fit que les enfants d'Henri refusèrent de voir leur père pendant quatre longues années.

En 1984, avec l'annonce du remariage d'Henri, l'excommunion familiale fut prononcée *ipso facto* par papa. Henri ne désarma pas. En 1987, il instrumentalisa, lui aussi, les fêtes du Millénaire capétien pour réaffirmer sa qualité irrévocable de dauphin. Le dimanche 15 février, sur TF1, dans l'émission de Patrick Poivre d'Arvor « À la folie », il joua son rôle de futur chef de la Maison de France. Le 29 mai, il donna une conférence dans la ville de Clermont sur « L'alliance d'une dynastie et d'un peuple ». Le 22 juin, il inaugura le colloque que le CNRS consacra à « Hugues Capet et son temps ». Il était partout, multipliait les engagements et rappelait à qui voulait l'entendre : « Le fondement de la monarchie française repose sur la succession en ligne directe masculine par le fils aîné. L'autorité du chef de la Maison de France procède de ce principe. Cette autorité ne peut remettre en cause la tradition dynastique sur laquelle elle repose. Si Dieu le veut je l'incarnerai, et mon fils après moi. L'histoire de France s'est construite sur ce principe. »

À cette époque, Henri souffrait terriblement.

Savoir son fils, Jean, qu'il n'avait pas vu depuis des années, aux côtés du comte de Paris, alors que ce dernier tentait, ni plus ni moins, de le faire disparaître, était une torture quotidienne. Mais bientôt, son opiniâtreté porta ses fruits. Chaque jour, notre frère recevait le soutien de quelques personnalités, voire de certains membres de la famille. Avec plusieurs de mes frères et sœurs, nous participâmes avec lui à une messe en l'honneur de Louis XVI, à Saint-Germain-l'Auxerrois, le 21 janvier. Henri faisait de plus en plus d'ombre à papa.

Le comte de Paris comprit enfin que cette guerre allait lui coûter plus cher qu'il ne le souhaitait. Le temps du pardon devait sonner, mais les événements tournèrent au psychodrame.

Les célébrations du Millénaire capétien devaient se terminer en apothéose lors d'une grande fête dynastique au château d'Amboise : représentation théâtrale, concert, feu d'artifice, dîner de plus d'un millier de convives. La confusion était à son comble dans la famille. Nul ne savait qui participerait à cette grande soirée que l'on avait espérée historique. Les rumeurs les plus folles couraient. Tous s'attendaient à ce que le comte de Paris renonce à ses droits en faveur du prince Jean. Une décision que l'on disait dictée par une vieille garde de conseillers. En vérité, Henri et papa négociaient en coulisse.

Dans la matinée du 27 septembre, le dauphin arrive à Amboise. Père et lui s'enferment dans les appartements royaux pour une longue mise au point. La rencontre est positive et ils s'attellent à leurs discours respectifs. Un vol de colombes survole le château. Soudainement, l'orage éclate, le tonnerre gronde, les portes claquent. L'ex-femme du comte de Clermont fait irruption. Les négociateurs l'avaient oubliée ! La duchesse de Montpensier ne s'en laisse pas conter. Ses cris et ses insultes résonnent sous les voûtes centenaires. Elle se sent doublement bafouée. Le comte de Paris comprend son erreur. Comment a-t-il pu croire que Marie-Thérèse pourrait accepter placidement la volte-face du chef de la Maison de France ? Des paroles définitives sont lancées ! Les premiers invités peuvent bénéficier du spectacle.

Marie-Thérèse de Wurtemberg, duchesse de Montpensier, menace de s'en aller sur-le-champ et d'emmener avec elle ses fils, les princes Jean et Eude. Face à la perspective d'un tel scandale, Henri bat en retraite. Il s'enfuit du château par une porte dérobée, à l'abri des journalistes et des regards indiscrets. Le grotesque de la situation n'échappe plus au comte de Paris. Quelques heures plus tard, le visage défait, il se lance dans un discours décousu et morne. Un instant, l'auditoire reste suspendu à ses lèvres. On croit que le comte va avoir un malaise. Papa se saisit discrètement de quelques pilules, avale une gorgée d'eau et reprend péniblement. Il ne fera aucune déclaration précise quant à l'avenir dynastique de la famille.

Cette célébration, qui aurait dû être celle du triomphe de la famille de France, fut ainsi un échec cuisant. Si la duchesse de Montpensier et ses deux fils restèrent, ni maman, ni aucun des enfants de France n'assistèrent aux festivités. Nous n'étions pas invités. Le lendemain, sur TF1, Stéphane Collaro, dans son « Cocorico boy », donna dans l'humour graveleux et fit une satire de la mascarade d'Amboise. Les fantasmes du Millénaire capétien se dégonflaient comme une baudruche de foire. Pour quelque temps, papa se fit discret.

Ce fut pour mieux réapparaître en 1989. Il ne pouvait laisser passer l'occasion des célébrations du bicentenaire de la Révolution française. Ces étapes de la vie publique et des grandes mondanités, qu'il affirme être sa vie politique, lui manquaient trop. Il multiplia les interventions et les déclarations du genre : « Si l'on commémore à Versailles les droits de l'homme décidés par Louis XVI, j'irai. Si c'est pour célébrer Robespierre et les périodes sanglantes, je m'abstiendrai. Il y a une part de la Révolution qui est respectable, c'est celle assumée par Louis XVI, notamment les droits de l'homme. On ne les lui a pas imposés. Il les a signés. Le roi ne se laissait pas mener. Il a montré maintes fois son courage moral et physique. D'ailleurs le roi Hugues Capet et tous après lui ont, à leur sacre, prononcé le serment : "Je promets de faire justice, selon ses droits, au peuple qui nous est confié." Les droits de l'homme sont en germe dans ce serment. » Et la révolution dans la famine et la misère du peuple ? oserais-je ajouter. Louis XVI, super-héros de la révolution de 1789 et grand protecteur des libertés du peuple, ce n'était pas exactement le message que voulaient faire passer les autorités en charge du bicentenaire. D'autant que les propos de papa furent accueillis fraîchement par les historiens. Il faut avouer que, dans les positions de papa, il y avait un je-ne-sais-quoi de négationniste ! Si Louis XVI ne fut pas l'imbécile heureux et l'affameur du peuple que la République dénonça, il n'en fut pas pour autant un révolutionnaire audacieux, cherchant à imposer les droits de l'homme comme pierre fondatrice d'une nouvelle constitution. C'est dire à quel point l'arrivée du comte de Paris sur la scène des festivités ne fut pas appréciée.

Pourtant, les cercles mitterrandiens, je ne sais pourquoi, incitèrent à ce que l'on fît une petite place à Monseigneur dans les tribunes des festivités et aux micros des conférences et débats qui se multiplièrent en France. Le Millénaire capétien était loin et le comte de Paris ne voulait pas d'un second rôle. Il décida de se faire discret. Ce qui ne l'empêcha pas d'écorner le président de la République dans une interview donnée à *Paris-Match* : « J'aurais souhaité que le président Mitterrand suggère à la nation d'opter pour le 14 juillet 1790, date de la Fédération. Ce jour-là, la nation tout entière, avec le roi et les représentants de l'époque, avaient décidé que la fête de la nation française ne serait plus celle du roi mais définitivement celle de la fédération. Le 14 juillet (1790) marque le rassemblement des Français autour de l'innovation et des mutations déjà engagées, c'est-à-dire le vrai fruit de la Révolution. J'aurais souhaité qu'on respecte la décision de nos aïeux. Il est regrettable qu'on ait pris pour date du bicentenaire le jour de la prise de la Bastille. C'est un point sur lequel il n'y a pas d'unanimité... »

Comment père pouvait-il croire que l'avis d'une

poignée de royalistes vieillissants pesait d'un poids quelconque sur les décisions du comité directeur des festivités du bicentenaire ? Malgré cette attaque politique lancée par le comte de Paris contre l'administration de François Mitterrand, ce dernier, sans rancune, l'invita à assister, dans la tribune officielle, aux fêtes du 14 juillet. Père, enfin conscient du ridicule de la situation, déclina l'offre.

8

Un passé vichyste

13 août 1997, 7 h 30

Maman est une femme incroyable, une femme exceptionnelle. Elle force mon respect. Hier soir elle répondait, sur une radio parisienne, aux questions d'une journaliste aussi au fait de l'histoire de notre famille qu'un Soudanais déshydraté des prouesses technologiques de la Nasa. Cette charmante professionnelle a demandé à maman quel genre d'homme était le comte de Paris dans la vie quotidienne. Une vraie question piège. Maman n'a plus côtoyé papa depuis quinze ans. Elle ne s'est pas dégonflée. Sans hésitation, parfaitement digne, elle a improvisé des anecdotes aussi ahurissantes que charmantes : « Le comte de Paris est un homme discret et très respectueux. Il a de multiples attentions à mon égard et veille jalousement à mon confort. Et puis, c'est un merveilleux cuisinier, vous ne devinerez jamais quelle est sa recette préférée : le couscous. Il le prépare divinement bien. » La dernière fois que mon père a dû cuisiner, ce devait être

89

en 1940, au Maroc, et je crois qu'il s'était contenté de réchauffer un plat !

Maman est une grande dame, à sa manière elle sauve les apparences. Si des étrangers étaient reçus à son domicile parisien, tous en ressortiraient persuadés que lors de leur visite le comte de Paris travaillait dans une pièce voisine. Maman, ma chère maman, est une femme d'une autre époque, digne et volontaire. Elle a su rester fidèle, malgré les affronts et les humiliations. Fidèle au point de soutenir le comte de Paris contre ses enfants. Car la guerre entre papa et Henri ne fut pas la première escarmouche familiale. Le premier des enfants à s'opposer fut Michel. C'était en 1967, et il inaugurait une série de révoltes dont Thibaut puis Henri prirent le relais. Ce ne furent que des révoltes individuelles, épidermiques et presque enfantines. Elles préfiguraient notre action commune d'aujourd'hui.

En 1967, Michel avait annoncé son désir d'épouser Béatrice Marie Guillemine Huguette Pasquier de Franclieu. La noblesse des Pasquier de Franclieu est l'une des plus anciennes de France et les chefs de cette famille se sont couverts de gloire aux côtés des rois de France. L'alliance, à ce titre, ne pouvait poser aucun problème. Pourtant, l'annonce de cette union, pour laquelle Michel demandait l'assentiment de papa, ne provoqua pas l'enthousiasme de ce dernier. Il est vrai que Michel, depuis fort longtemps, tout comme moi, ne rendait guère compte de sa vie et limitait ses visites au strict minimum. Son emprise sur nous étant fortement réduite, cette situation exaspérait le comte de Paris. Plus grave

encore, Michel s'était fait une belle situation au
Maroc. Il était responsable d'une importante société
de travaux publics. Un travail qui le rendait parfaitement indépendant. Un état de fait insupportable
pour le *pater familias.*

Comme d'habitude, avant de lancer ses frappes
coercitives, papa entama un round d'observation.
Le 14 février 1967, il dicta un texte de six pages.
Reproduit à une bonne quinzaine d'exemplaires,
celui-ci fut envoyé à toute la famille. Nous le comprîmes vite, ce texte était en réalité adressé au
prince Michel, notre frère, mais ainsi envoyée à tous,
la menace restait voilée. Sous le blason de la Maison
de France, le titre du document sonnait déjà comme
une sentence : « Mariages des princes de la Maison
de France ». La lecture de ces lignes était presque
soporifique. Dans les premiers paragraphes, le
comte se laissait aller à quelques réflexions sur le
temps présent et la dissolution des mœurs dans
notre société contemporaine. Enfin on entrait dans
le vif du sujet. En parfait pédagogue, père énumé-
rait les règles auxquelles ne doivent pas déroger les
princes et princesses de France s'ils veulent rester
dynastes. Il écrivait : « Pour sceller et sanctifier l'acte
le plus important de leur existence, les princes et
les princesses de France ne peuvent cesser de se
soumettre aux lois qui régissent la société chrétienne. Le mariage chrétien est la condition qui
détermine essentiellement la validité dynastique du
mariage des princes... » À la lecture de ces phrases,
nous soupirâmes de soulagement. Michel n'avait pas

l'intention d'éviter l'autel. Nous continuâmes la lecture : rien ne semblait devoir s'opposer au mariage.

Pourtant, un long chapitre de ce document nous laissa un sentiment étrange. Le comte de Paris plaçait sur un pied d'égalité, pour la validité de l'union d'un prince, la sanctification chrétienne et l'assentiment donné par le chef de la Maison de France, le second ne découlant pas directement du premier. D'autres conditions seraient donc à réunir impérativement : « C'est au chef de notre famille qu'il appartient de veiller sur l'unité, la continuité et la dignité de notre Maison. Les princes et les princesses qui la composent ont donc le devoir de soumettre à l'autorisation du chef de la Maison de France l'union qu'ils projettent. Les raisons pour lesquelles celui-ci peut refuser son accord sont de divers ordres... » Ces raisons étaient alors énumérées. Deux d'entre elles retinrent notre attention. La première s'intitulait « Raisons politiques » : « Le consentement doit être refusé à un prince ou à une princesse qui prétendrait épouser une personne appartenant à une famille dont la réputation heurterait le sentiment national et serait de nature à nuire à la confiance que les Français peuvent avoir en notre Maison. » Le deuxième avait pour titre « Raisons morales » : « Le consentement doit être refusé à un prince ou à une princesse qui voudrait s'allier à une famille dont l'honneur aurait été atteint, à certains moments, par le comportement gravement critiquable d'un de ses membres. »

Que père s'étende aussi longuement sur ces raisons et qu'il en fasse deux alinéas, nous parut étrange. Mère, elle, ne voyait rien à redire. Ce ne fut que par l'entremise d'un véritable conseil de famille que nous comprîmes le véritable sens de cette articulation juridico-dynastique.

Au cours de l'été 1967, Michel réaffirma sa volonté de se marier avec Béatrice de Franclieu. Estimant qu'il devait forcer une réaction de papa, il lui fit savoir que le mariage serait célébré, avec ou sans son accord, avant la fin de l'année, au Maroc. Nous fûmes tous convoqués pour un déjeuner en présence de Michel. Père voulait que le clan fasse front afin d'intimider notre frère. Mère nous exhorta à l'obéissance. Assez mal dans notre peau, nous prîmes place autour de la table ovale du grand salon, à Louveciennes, au manoir du Cœur-Volant. L'ambiance était triste, nous étions tous malades par avance. Michel nous observait, enfermé dans sa solitude. Je communiais avec sa douleur. Ma volonté chancelait, j'hésitais à regarder la vérité en face. Comme mes frères et sœurs, je ne savais qu'une chose, papa ne consentait pas à cette union. Maman et Chantal plaidaient en faveur du refus paternel ; je ne savais que penser de la sincérité de ces arguments. Mais nous le savions tous... sauf Michel ! Père désirait le lui annoncer personnellement, devant la famille réunie, pour donner plus de poids à ses arguments.

Le refus et son argumentation furent lancés à la tête de Michel entre la poire et le fromage. Notre frère blêmit, but une gorgée de vin, s'excusa et quitta la table. Cette scène me terrorisa. Je renouais avec les angoisses de mon enfance. Je ne comprenais rien et, lâchement, je n'osai rien. Je pensais à ma propre vie, à mon avenir. Si maintenant je me rebellais, n'allais-je pas subir le même sort ? L'injustice faite à Michel m'apparaissait assez clairement, mais, je l'avoue, je ne pensais qu'à moi. Les menaces étaient claires : si Michel passait outre, le comte de Paris lui retirerait son titre, il n'aurait plus jamais aucune aide matérielle de la famille, et aucun d'entre nous ne serait autorisé à le revoir.

Pourtant, l'irrecevabilité des arguments ne pouvait que s'imposer à ma conscience. Depuis l'épisode de l'attentat contre le manoir du Cœur-Volant, je m'étais promis de comprendre les motivations du comte de Paris. Je collectionnais les coupures de presse, les témoignages, je dévorais les livres, passant au crible les actes de mon père, espérant arracher le voile qui dissimulait l'énigmatique ressort de ses agissements. Comme nous l'avions craint, père avait refusé son consentement en évoquant les deux alinéas de son texte « Mariages des princes et princesses de la Maison de France ». La famille de Franclieu contrevenait aux raisons politiques et aux raisons morales parce que le père de Béatrice avait connu une fin tragique à la Libération. Il avait été assassiné par les FTP le 15 septembre 1944.

Quelques jours après le dîner de Louveciennes, Michel réaffirma sa décision d'épouser Béatrice. Père lui répondit le 18 septembre 1967 : « Tu le sais, je ne consentirai jamais à ce mariage, car je ne le puis. Tu connais mes raisons. Si je me refuse à juger le père de Mlle de Franclieu, je ne puis ignorer que, durant la dernière guerre, sa conduite a été des plus compromettantes. Je le tiens de toi-même, et aussi de personnes respectables, sensées et dignes de foi. Les actes qui lui sont reprochés sont de ceux que les Français, dans leur quasi-unanimité, ont jugés criminels et déshonorants. Sa fin violente en fait un personnage dramatique qui resurgirait affreusement à l'annonce de l'événement auquel tu songes, sans penser à ce que cela aurait de terrible pour la Maison de France... »

Le comte de Paris allait plus loin encore, il mettait dans la balance l'avenir politique et la mission de notre famille : « Si les princes de la Maison de France se montrent dignes des exigences morales que chacun veut trouver en eux, les Français, bien au-delà de toutes les intentions politiques, les respectent et les respecteront quels que soient les événements. Alors, ces princes pourront servir leur pays selon leurs possibilités et leur personnalité. Tandis que ceux qui auront déçu les Français parce qu'ils auront choisi la voie de la facilité perdront tout crédit moral et ne seront plus, à leurs yeux, que de ces princes futiles, inutiles, pour lesquels ils n'ont plus que dégoût et mépris. Pour ces princes pas d'avenir politique... »

Père a le goût des formules chocs, mais, à la lumière de son propre passé politique, cette intransigeance, ce moralisme dynastique, cette rigueur au profit de notre mission historique, me firent vomir, tout simplement. Comment pouvait-il être amnésique à ce point ? L'une des toutes premières choses que je constatais de sa manière d'être était son opportunisme sans borne et constant. Ses activités sous l'Occupation ne lui permettaient en rien cette

95

attitude méprisante envers le père de Béatrice. Immédiatement, je le soupçonnai de craindre que, par synchronicité avec les égarements de Pasquier de Franclieu, on ne se souvînt des siens.

Je me suis intéressé plus particulièrement aux activités de mon père pendant la Seconde Guerre mondiale lorsqu'un jour, feuilletant un vieil album, j'ai découvert le faire-part de mon baptême du 27 juillet 1941, glissé entre deux photos. C'était incroyable ! Respectueusement, un critique d'art dirait que l'iconographie s'inspirait violemment de l'air du temps. En clair, le dessin – des ouvriers stylisés devant leurs outils et un agriculteur face à son labour –, les lettrines gentiment inspirées du gothique, et le texte vantant la patrie, la famille et le travail, auraient pu faire croire à une affiche de la propagande vichyste ! Pour accentuer le tout, je me suis souvenu que papa ne nous avait pas choisi des parrains dans le gotha de la noblesse européenne, mais avait sélectionné deux agriculteurs anonymes et, de surcroît, inconnus de notre famille. Ce faire-part envoyé à travers l'Europe clamait implicitement le soutien du comte de Paris à la politique du maréchal Pétain et son tristement célèbre retour à la terre.

Je me suis amusé à retrouver les discours et les déclarations de papa durant cette période. Je n'ai pas été déçu. Depuis la mort du duc de Guise, il ne tenait plus en place. Le rêve devait se réaliser. Il se sentait fort et indestructible, viril, digne d'être un roi de France comme la nation n'en avait jamais connu. Dès l'armistice signée, il affirma son indéfectible soutien au gouvernement du maréchal

Pétain. À cette époque, la famille vivait au Maroc, à Rabat. Cela ne l'empêcha pas de tisser des liens avec l'administration de l'État français. Pour certains échanges, il n'hésita pas à passer par les hauts fonctionnaires en poste au Maroc. Les relations étaient si bonnes que, le 1er juillet 1941, le comte de Paris diffusa une déclaration dans laquelle il incitait l'ensemble des Français, et plus encore les royalistes, à la collaboration avec les pétainistes : « Incontestablement, la France vit, se reprend, se reconstruit sous la pensée et l'action du Maréchal... Les pensées du Maréchal procèdent des mêmes inspirations que les nôtres. Il convient d'aider à leur diffusion et à leur défense. C'est là votre devoir de Français... » Ce texte de trois pages fustigeait aussi les forces sombres de l'étranger et le système politique déchu. Plus grave, il mettait en garde contre de nouvelles divisions venues de l'extérieur. Une dénonciation à peine voilée du mouvement gaulliste naissant et de la résistance soutenue par les alliés !

En résumé, en 1967, le comte de Paris refusait son consentement au mariage de Michel avec Béatrice de Franclieu sous l'étrange prétexte que le père de Béatrice a suivi, à la lettre, ses propres directives. Une situation grotesque, d'autant que ses aventures vichystes ne s'arrêtèrent pas à quelques pompeuses déclarations de soutien. Un autre volet de la vie politique de mon père, en cette période d'occupation nazie, révèle un aspect trouble de sa psychologie. De nombreux monarchistes entouraient le maréchal Pétain. Des personnes très influentes comme le garde des Sceaux Raphaël

Alibert, qui fut le professeur de droit de papa. Le garde des Sceaux vouait une vénération sans borne au comte de Paris. En bon comploteur monarchiste, il rassembla les dévots de la cause pour se lancer dans une croisade secrète. Il s'agissait de profiter de la suspension de la constitution de 1875 pour restaurer la monarchie, et faire du prince le « dauphin » du maréchal. Le projet était ambitieux, mais Pétain était un vieillard ; alors ? Certains diront que cette entreprise était irréaliste, mais les vieilles barbes qui grouillaient autour de l'Hôtel du Parc se persuadèrent bientôt de sa « faisabilité ». Bientôt on chuchota que le projet avait conquis Pétain en personne ! On le chuchota si fort que le bruit arriva aux oreilles du comte de Paris.

C'est là qu'un trait bien particulier de la personnalité de notre père apparaît. Il se laissa intoxiquer par les rapports successifs de ces hommes aveuglés par leur rêve de restauration et qui l'assuraient que Pétain lui-même la souhaitait, que la France était prête et qu'il suffisait d'un signe. Ces hommes de l'ombre et du renseignement qui l'informaient sur les secrets de la patrie meurtrie le fascinaient. Sensible aux atmosphères, intuitif et intelligent, il se laissa pourtant, toute sa vie, hypnotiser par le monde de la conspiration et du renseignement. Il manqua d'esprit critique et de distance. Il croyait ce qu'on lui racontait dès que le sceau du secret frappait les informations qu'on lui soumettait. Ce monde du renseignement, il ne le dominait pas, il était manipulé par lui. Pour un futur homme d'État, c'était dangereux.

À aucun moment père ne tenta de vérifier les plans mirifiques que lui soumettaient ses dévots. L'intoxication atteignit un tel point que le comte de Paris, au printemps 1942, écrivit au maréchal Pétain. Ce courrier n'avait qu'un but : savoir quand le vieux militaire lui céderait la place. La réponse de Vichy fut pour le moins embarrassée. Dans sa lettre d'août 1942, le Maréchal dissimulait mal sa surprise : « L'autorité dont j'ai été investi a un caractère tout personnel. Elle est prévue pour la durée des circonstances exceptionnelles pendant lesquelles le fonctionnement d'institutions normales est impossible. J'affaiblirais moralement cette autorité, qui est aujourd'hui une garantie essentielle du salut du pays, si j'en débordais ou faussais la définition. En même temps, je risquerais de donner prétexte ou motif à des divisions entre patriotes, divisions que mon premier devoir est d'empêcher... » Le maréchal Pétain exprimait ses convictions sans détour : pour lui, le retour de la monarchie était loin de faire l'unanimité, forcer le destin dans ce sens serait mettre la France sur le chemin de la guerre civile. Plus déterminant encore était le refus absolu des autorités allemandes. Elles voyaient dans la monarchie un régime qui risquerait, à terme, d'offrir une trop grande résistance à leurs directives. De cette ultime raison le Maréchal ne disait mot dans sa lettre, mais de nombreux documents démontrent qu'il en avait parfaitement conscience.

L'incroyable, dans cette histoire, est que le comte de Paris n'abandonna pas ses illusions. Même après la réception de la missive du chef de l'État français, il continua d'écouter ceux qui l'assuraient que tout était possible. Il en vint à penser que le maréchal Pétain n'avait pu exposer, par écrit, ses véritables sentiments, se sentant trop espionné de toutes parts. Il se persuada qu'il devait rencontrer en secret le Maréchal et lui poser la question de vive voix. Il lui fallait savoir si cette lettre représentait son dernier mot ou s'il y avait encore un peu d'espoir. Le comte de Paris, par des voies barbouzardes bien à lui, demanda une audience au maréchal Pétain. Une audience où il allait, comme un mendiant, réclamer un pouvoir que l'on sait pourtant de source divine. Voilà résumé son comportement paradoxal.

Un avion décolla de Rabat dans la nuit du 5 au 6 août 1942 pour rejoindre Clermont-Ferrand, avec à son bord, en grand secret, le comte de Paris. Cette escapade aurait été organisée par le médecin personnel de Pétain, le docteur Ménétrel. Royaliste militant, ce médecin correspondait avec les comploteurs invétérés qui entouraient le comte de Paris. De l'aérodrome de Clermont-Ferrand, une voiture emporta le comte vers le château de Charmeil, près de Vichy. L'ambiance était cordiale, le château magnifique et l'on discuta spiritualité. Une gêne s'installa. Le Maréchal semblait las et désabusé, aucune fièvre nationaliste ni même patriotique ne vibrait dans ses propos. Il semblait vouloir se couper du monde. L'éventualité d'un débarquement allié en Algérie ne le préoccupait pas et il restait arc-bouté sur la prétendue protection contre les Allemands qu'il prétendait incarner. N'y tenant plus, père demanda au Maréchal de préciser ses positions sur une éventuelle restauration. Le vénéré grand-père marqua un silence, surpris que cela puisse venir encore sur le tapis. Il résuma sa pensée en une boutade : « En somme, jeune homme, vous voulez prendre ma place ? »

Père n'aborda plus jamais cette question avec le Maréchal. Il resta encore deux jours en compagnie de cet homme qui incarnerait la honte des Français. Lors de leur séparation, le chef d'État encouragea le jeune Monseigneur à rencontrer Laval. Le surlendemain rendez-vous fut pris dans un salon discret d'un restaurant de Riom. Entre les deux hommes le courant ne passa pas. Depuis des mois, Laval observait, narquois et cynique, l'effervescence des comploteurs royalistes. Il savait mieux que personne les illusions dans lesquelles s'entretenait ce petit monde. Dans la bouche de Laval, des séries de Monseigneur ostentatoires roulaient sous l'accent nivernais, assaisonnées d'une pointe d'ironie. Père était mal à l'aise. Il se sentait piégé, acteur involontaire d'une mauvaise pièce de boulevard. Laval, lui, se délectait, il se sentait au spectacle, il imaginait déjà quelle place aurait cette rencontre dans ses mémoires. Puis vint ce que père considéra comme un affront. Le repas se terminait, et Laval fit une proposition : « Si cependant vous voulez faire votre apprentissage politique, j'ai un poste pour vous. Et si vous y réussissez, je vous garantis que dans six mois toute la France sera à vos pieds. C'est le secrétariat d'État au Ravitaillement... » Le comte de Paris n'honora pas cette offre. Il manqua là l'occasion de rejoindre à Vichy nombre de ses supporters... dont un fougueux royaliste, le jeune François Mitterrand, que Pétain devait décorer de la francisque quelques semaines plus tard. Cette proposition de Laval ressemblait trop à une humiliation aux yeux d'un homme qui s'est toujours envisagé comme l'unique recours, comme l'homme providentiel et fédérateur de tous les Français en cas de crise nationale grave. Père, toute sa vie, a vainement nié une évidence, même dans les pires moments de notre histoire contemporaine : le peuple français est resté profondément républicain. L'idée royaliste, même emballée d'une pseudo-idéologie démocratique, n'emporte pas l'unanimité des Français, loin de là !

Le lendemain de sa rencontre avec Laval, Son Altesse royale le comte de Paris, dépité et incrédule, prenait un avion spécialement affrété pour lui. Il retournait à Rabat. Aiguillé par son ambition, il rompit avec Vichy et multiplia les contacts avec Londres, de Gaulle, et ses représentants sur les territoires français d'Afrique du Nord. Le comte de Paris rentrait dans une autre phase du complot, aux alliances diamétralement opposées.

9

Coup de force contre la République

15 août 1997, 9 h 30

Ce matin, en rangeant mes dossiers, j'ai retrouvé une vieille photo de papa. Une photo prise en 1936. Son visage évoque Clark Gable et les acteurs d'Hollywood. On sent une nuque dure et nerveuse. Ses lèvres, sans crispation, retiennent un sourire. Son visage contient une émotion et une force secrète, un peu à la manière de la Joconde. Ses yeux clairs, entre des paupières très légèrement refermées, prennent une intensité farouche. Un bel homme, photographié dans le plus pur style glamour de ces années-là ! Comment cet homme, que l'on sent si sensible et intelligent, a-t-il pu être aussi destructeur avec ses enfants ?

Cette intelligence, je crois, l'a très vite contraint à la solitude. Comprenant ce que les autres ne comprennent pas, écoutant ce que personne n'écoute, s'amusant de ce que chacun trouve ennuyeux, il dut, dès son enfance, s'enfermer dans un monde dont lui seul possédait les clés. Des clés qu'il a fini par perdre, personne n'étant vraiment capable de les saisir à part lui. Petit à petit, il s'est mué en une énigme et, de surcroît, aux yeux de ceux qui le côtoyaient et qui forcément étaient royalistes, en une énigme sacrée ! Dès sa majorité, nul n'osa plus lui dire non. Enfermé dans sa tour d'ivoire, bordé chaque nuit par une ambition colossale, imprégné de ses devoirs royaux et quasi mystiques, sa perception de la réalité fut fatalement dénaturée, assujettie à de très particuliers tropismes. À dix-huit ans, il annota entièrement une étude sur Louis XI et ne se lassait jamais de répéter : « Lorsqu'il s'agit d'atteindre un but, on peut même y aller à reculons... »

Adulte, il était une victime désignée pour les comploteurs et barbouzards en tous genres. Ces êtres étranges forment une communauté distincte, perdue dans des réalités peu connues dont ils tirent un pain quotidien assaisonné de paranoïa. Au contact de ces individus, qui eux-mêmes vivent dans l'ombre des hommes de pouvoir, père réalisait un peu de ses rêves démesurés. Il était « au parfum », il entrait dans ce club fermé, élite de l'élite, de ceux qui savent ! En croisant dans les eaux troubles des secrets d'État, le comte de Paris s'imaginait, un jour, trouver son chemin vers le trône qui devait lui revenir... fatalement ! Mais le monde du renseignement, s'il est bien la clé de tous les pouvoirs, doit être dominé et asservi à une rigoureuse observation des réalités sociales, si l'on ne veut pas être dominé par lui. Les hommes de l'ombre, les vieilles barbes bien fleuries, sont avant tout des manipulateurs. Les informations qu'ils acquièrent sont autant de miroirs aux alouettes qu'ils aiment agiter sous les yeux des puissants. Leur ambition est de les prendre au piège de leurs propres désirs, tel le malicieux Asmodée. C'est bien là le danger que jamais ne sut éviter notre père.

Sa première mésaventure du genre survint dans les années 30. Le duc de Guise, son père, et lui-même suivaient avec passion le développement des ligues d'extrême droite telles les Croix-de-Feu, et plus encore celui de l'Action française, qui leur avaient juré fidélité. En 1933, l'affaire Stavisky éclata. Le duc de Guise, et plus encore le très jeune comte de Paris qui n'avait alors que vingt-cinq ans, se persuadèrent que les conditions d'une restauration étaient réunies. Dans la dénonciation des activités du célèbre escroc, l'Action française était en pointe. Son journal fut le premier à révéler les soutiens politiques qui avaient permis l'évaporation de sommes colossales. Des députés, des maires, des ministres étaient impliqués. Le scandale était énorme. La France, touchée âprement par la crise économique qui ruinait l'Europe, connaissait, elle aussi, une montée violente d'antiparlementarisme. En Allemagne, Hitler était au pouvoir, Mussolini dirigeait l'Italie, les démocraties étaient dans l'impasse. Pour la famille de France, c'était peut-être la chance qu'il fallait saisir. Ce mécontentement populaire, il fallait le cristalliser. L'Action française publia deux lettres du garde des Sceaux, Albert Dalimier, qui prouvaient ses relations étroites avec Stavisky. Toute la presse d'extrême droite donna des

105

consignes : les manifestations se multiplièrent et dégénérèrent en violences organisées. Le 7 janvier 1934, une manifestation autour du Palais-Bourbon réunit plus de trois mille personnes. Les Camelots du roi [1] menèrent des attaques tourbillons contre les agents de la force publique. Ils frappaient et se retiraient immédiatement, pour attaquer ailleurs. De nombreux policiers furent blessés. Le 8 janvier, dans la région de Chamonix, on retrouva le cadavre de Stavisky. La police affirma qu'il s'était suicidé. La position du corps, l'environnement du décès, le lieu même du drame – un chalet isolé –, des indiscrétions et des rumeurs colportées par la presse emportèrent la conviction populaire : c'était un meurtre ! *Le Canard enchaîné* parla de : « Stavisky suicidé ». *L'Action française* écrivit que c'était un assassinat. Il en allait de même dans les colonnes du *Populaire* et de *L'Humanité.* La France était indignée.

C'est à cette époque qu'eut lieu une réunion très particulière. Au Manoir d'Anjou, près de Bruxelles, où vivaient le duc de Guise et le comte de Paris, reçut secrètement trois visiteurs : Charles Maurras, Maurice Pujo, et l'amiral Schwerer. Nul autre que l'idéologue de l'Action française et les deux principaux chefs de la ligue d'extrême droite. Ils étaient un peu surpris d'être côte à côte, mais c'est le comte de Paris en personne qui les avait convoqués. Après les courtoisies d'usage, le duc de Guise céda la

---

1. Cette organisation, liée à l'Action française et forte de quelque trois mille hommes, formait une milice de propagande et de combat.

parole à son fils. Père expliqua alors à ses hôtes que lui et le duc, grâce à leurs « contacts », étaient tenus informés des événements parisiens heure par heure. Il semblait très excité et soudain déclara[1] : « L'Action française doit tenter, dans les jours qui viennent, un coup de force contre la République. Cette occasion nous l'attendons depuis trente-cinq ans, et nous disposons aujourd'hui de l'amorce d'une situation révolutionnaire... Il faut la saisir ! »

Maurras ne savait ce que devait être son attitude. Il hésitait entre le rire et la colère. Ce fut son respect pour le prince qui l'emporta. Glacial, lentement, en articulant chaque syllabe comme pour faire claquer les mots en une multitude de coups de fouet, Charles Maurras expliqua au prince qu'il manquait à ce projet une pièce maîtresse : l'armée. Aucun général en activité n'accepterait de suivre un mouvement révolutionnaire. Même si le préfet de Paris, Jean Chiappe, ouvertement royaliste, adoptait une inertie complice, les troupes de l'Action française seraient défaites en quelques heures. Inutile de parler de la province. On serait loin de l'émeute générale, tout au plus pouvait-on s'attendre, dans les grandes villes, à quelques chahuts. L'évidence était là : l'Action française ne disposait pas des effectifs nécessaires.

---

1. Cette anecdote a été racontée par un témoin direct, le commissaire général de la Marine, Jules Arthur, qui fut un membre secret de l'Action française et un ami du comte de Paris. Le récit de cette réunion secrète fut enregistré par le journaliste Jean Bourdier (*op. cit.*, p. 39).

Le jeune prince ne dissimulait pas son impatience. Théâtralement, il dévoila son plan d'action. Sa stratégie était arrêtée, les contours en étaient simples : l'Action française devait s'allier avec les autres mouvements nationalistes, elle devait s'unir avec les Jeunesses patriotes de Pierre Taittinger, avec les paysans de Dorgères, avec les commerçants de Charles Nicole, avec les Croix-de-Feu et les anciens combattants... Et s'il le fallait, il prendrait lui-même la tête de ce rassemblement !

Maurras ne sut que répondre, tant l'ingénuité du prince était évidente. Tous les mouvements et groupuscules que le comte de Paris avait cités se livraient une guerre sans merci. S'espionnant les uns les autres, ils étaient devenus les jouets de la police secrète. Plus grave, certains n'avaient aucune envie de soutenir une restauration et militaient ouvertement pour un régime de type fasciste. Quant au colonel de La Rocque, il ne s'était jamais senti la fibre royaliste ! Le prince était totalement intoxiqué. Cela n'étonna pas Charles Maurras. Il connaissait ceux qui, quotidiennement, prétendaient informer le dauphin. Parmi ces informateurs, Pierre et Édouard de La Rocque, les frères du colonel. Ils affirmaient avoir l'oreille et les confidences de leur frère, mais il n'en était rien. En vérité, le colonel François de La Rocque les méprisait un peu car leur vie n'était faite que de fumée, d'espionnage et de complots sans lendemain. C'étaient eux qui avaient fait croire à notre père que l'union des mouvements nationalistes était possible. La réalité était tout autre.

Le pire, Charles Maurras ne l'exposa même pas au comte de Paris, si sûr de lui, si incapable d'entendre la moindre contradiction. S'il était exact que la France baignait dans un climat insurrectionnel, le mouvement sur lequel le prince voulait appuyer sa révolution n'était plus que l'ombre de lui-même. Nous étions en 1934 et l'Action française s'essouflait. En décembre 1926, la condamnation pontificale de ce parti et l'excommunion de Charles Maurras avaient fait trembler l'organisation sur ses bases. L'Action française était un peuple de fervents catholiques. Un peu comme les chouans, les royalistes qui s'y regroupaient étaient monarchistes car catholiques. Lentement tout d'abord, puis de plus en plus rapidement, la fuite des militants s'était fait cruellement sentir. Les cadres du mouvement avaient vieilli. La réflexion et l'analyse politique prenaient le pas sur l'action. L'Action française n'avait pas le dynamisme nécessaire aux grands desseins du prince.

Le comte de Paris sentit la rage lui monter à la tête devant les tergiversations de ceux qu'il aurait voulus à ses ordres, il devint blessant : « Vous n'avez pas la volonté d'aboutir. En 1926, déjà, vous avez laissé échapper l'occasion. Allez-vous recommencer ? » Pujo, Schwerer et Maurras furent touchés dans leur amour-propre. Ils se levèrent, accompagnant du poing leurs paroles. Puisque le comte de Paris les mettait au défi, ils tenteraient le coup ! Qu'importent les sacrifices, on ne les traiterait pas de lâches. Jamais ! Ils allaient organiser des émeutes, le sang allait couler puisque le dauphin l'exigeait.

À Paris, les bagarres de rues étaient de plus en plus féroces. Alors que les groupes d'assaut de l'Action française se battaient dans une rue avec les Camelots du roi, les Jeunesses patriotes se battaient dans une autre, et les anciens combattants se réunissaient encore ailleurs. L'union se faisait attendre. Le 27 janvier 1934, les Jeunesses patriotes, les militants de la Solidarité française et de la Ligue des contribuables rejoignirent les manifestants de l'Action française. Ensemble, ils détruisirent les barrages de police. En lançant des pétards sous les chevaux et à coups de lames de rasoir, ils repoussèrent les gardes à cheval. Toutes les forces de police furent alors mobilisées pour protéger la Chambre des députés. L'attaque fut enrayée, mais le pouvoir avait eu peur. Chautemps, le président du Conseil, démissionna. Paris se calma. Trois jours plus tard, Daladier fut nommé à la tête du gouvernement. Il désigna Eugène Frot à l'Intérieur. À l'assemblée, la gauche, unanime, demanda la tête du préfet de Paris, Jean Chiappe. On l'accusait, non sans raison, de collusion avec les ligues et l'on fustigeait ses amitiés royalistes. Daladier ne disposait que d'une majorité relative ; s'il refusait de faire tomber le préfet, il serait mis en minorité et son gouvernement sauterait. Le 2 février, Jean Chiappe fut limogé. À droite, ce fut le tollé. La réaction des ligues et de l'Action française fut immédiate : tous descendirent dans la rue. Au manoir d'Anjou, le comte de Paris voyait la couronne se rapprocher de sa tête.

Le mardi 6 février, c'est la mobilisation générale, les ligues envahissent la rue. Daladier, le nouveau président du Conseil, doit prononcer son discours d'investiture. La colère du peuple est telle que de nombreuses organisations ont appelé à manifester, entre autres l'association républicaine des anciens combattants, d'obédience communiste ! Tous forment des cortèges séparés. Pourtant, une sorte de fusion à chaud de toutes les forces nationalistes s'opère. Dans la confusion la plus totale et les affrontements sporadiques, les clans se mélangent. L'Action française a mobilisé ses troupes pour les lancer à l'assaut de l'Assemblée, mais les chefs, qui n'y croient pas, ne font pas acte de présence. Les rares à s'être déplacés sont vite débordés et perdent leurs colonnes dans les mouvements de foule incessants et brusques. Les Jeunesses patriotes se battent au pont de Solférino. Vers 15 heures, les Camelots du roi et les troupes de l'Action française ont un premier choc avec la police place de la Concorde, vers laquelle les manifestants affluent et notamment la colonne des anciens combattants qui arrive des Champs-Élysées. Mais, déjà, plus personne n'est capable de donner des ordres à ces meutes dont les chefs ont oublié de préparer l'éventuelle jonction ! C'est le chaos. Les militants de base qui développent une combativité que leurs chefs n'avaient pas imaginée font jaillir les armes : les lames de rasoir au bout des cannes tranchent le jarret des chevaux, des poignards extraits d'élégants parapluies tailladent le visage des gardes mobiles, des poings américains écrasent des mâchoires, des massues à manche télescopique s'abattent. Des passants se joignent à la

111

lutte, des groupes communistes combattent aux côtés des ligueurs...

Mais il y a là trente à quarante mille personnes. Le colonel de La Rocque retient le gros de ses troupes, de nombreuses ligues ont fait demi-tour... Cette manifestation n'emporte pas l'adhésion du peuple. Les bourgeois observent de leurs fenêtres, les ouvriers ne sont pas dans la rue, aucune grève n'a été déclenchée. Si la colère et l'indignation sont générales, l'esprit révolutionnaire, tant espéré par le comte de Paris, manque cruellement.

Les combats durent toute la nuit. Au petit matin, dès le premier métro, les guerriers de la rue s'évaporent. Le bilan est lourd : quinze morts, dont quatorze civils, et mille quatre cent trente-cinq blessés. Affront suprême pour les forcenés du complot monarchiste, la violence aveugle et bestiale de cette manifestation provoque un énorme sursaut républicain. Le 12 février, une contre-manifestation voit affluer des milliers de personnes qui condamnent les ligues et leurs violences. Le Front populaire est en marche et, deux ans plus tard, formera le gouvernement.

De ce jour, mon père entama un grand virage à gauche. Les idées sociales avaient de l'avenir, la démocratie était une idée chevillée à la nation française, le comte de Paris n'oublierait pas cette leçon. Son divorce avec l'Action française fut officiel dès 1937.

10

Le Groupe des Cinq

15 septembre 1997, 22 heures

La chaleur me tient éveillé. Les semaines ont passé, remplies par les futilités de l'été. Quelques jours aux Baléares chez ma sœur Diane m'ont fait le plus grand bien. Notre cousin, le roi Juan Carlos d'Espagne, est venu nous rendre une visite amicale. Mère était là. Elle en a profité pour me faire la morale. Elle prétend que père souffre beaucoup de mon attitude : « Vous ne croyez pas que c'est nous qui souffrons de la sienne ! » Elle s'est tue un instant, puis elle m'a rappelé que papa est cardiaque, que peut-être il n'en a plus pour longtemps. Un moment je me suis senti coupable, et puis je me suis souvenu à quel point père savait manipuler maman, jouer de l'authentique amour qu'elle lui porte pour la faire agir, le plus souvent, contre ses propres sentiments maternels.

Dans la crise avec Michel, nous en avons fait la triste expérience. Un document est particulièrement révélateur de cette soumission sans borne dont elle fait preuve envers papa. À la fin septembre 1967, Michel était reparti à Casablanca. Le mariage, objet de la colère paternelle, devait être célébré en novembre. Maman décida, à l'incitation de son mari, de partir pour Casablanca afin de plaider la soi-disant « raison » auprès de son fils. De cette ultime tentative de persuasion, elle dressa une sorte de rapport circonstancié afin qu'il soit archivé par le comte de Paris. Il était important pour père de laisser une trace « historique » de sa mansuétude et de sa patience. La démarche téléguidée de maman est décrite, point par point, presque heure par heure. Le texte ressemble à un compte rendu diplomatique, qu'aurait pu réaliser un fonctionnaire en mission dans quelque contrée en guerre. Le titre de ce texte, qui s'ouvre sur dix-huit pages, est : « Voyage à Casablanca ». Je ne peux m'empêcher de frissonner à la lecture de ces lignes. Mère se décrit comme oppressée par cette situation de crise, elle se sent dans l'urgence d'une catastrophe qui menace. Une menace qui pèse sur la famille par la faute de Michel. Pas un instant elle n'ouvre son cœur. Visiblement ses sentiments réels ne peuvent apparaître. Pourtant, je le sais, de toute son âme elle ne souhaitait qu'une chose, le bonheur de son fils. La moralité du père de Béatrice de Franclieu ne la préoccupait nullement. Mais l'influence de papa était telle, elle était à ce point contrôlée que, lorsqu'elle vit Michel, elle fut incapable d'admettre qu'il souffrait du rejet de son père. Elle alla imaginer que la tristesse de son fils provenait de la femme qu'il aimait : « Michel connaît cette jeune femme depuis trois ou quatre ans. Depuis ce temps, il se détache insensiblement de la famille et il se replie sur lui-même parmi des gens obscurs dont il trouve la fréquentation facile. » Plus loin, presque ingénue, elle ne comprend pas son comportement : « À l'aéroport, je ne vois pas tout de suite Michel. Lorsque j'en ai terminé avec toutes les formalités, il arrive et je l'aperçois qui me cherche ; je lui fais signe car il se tenait de l'autre côté de la douane et lorsque, enfin, nos regards se sont croisés, son visage ne s'est pas éclairé et il n'a fait aucun geste de joie. » Autre chose, tout aussi incroyable, à aucun moment maman ne cite, dans son rapport, le nom de la future femme de Michel. Juste, lorsqu'elle ne peut faire autrement, elle écrit : « Mlle B. de F. ». Pour elle, « Michel est un pauvre homme malheureux ». Maman est tout simplement persuadée qu'il a perdu la raison. Comment pourrait-il en être autrement puisqu'il ne suit pas les recommandations éclairées du chef de la famille de France. Elle décrit sa maison comme un véritable cloaque, où il vivrait dans la promiscuité dangereuse d'une femme inquiétante : « Première surprise désagréable en arrivant dans ma chambre, je déballe mes affaires et je les suspends vaille que vaille sur les vêtements de Michel, puis, espérant toujours trouver un portemanteau, j'ouvre la housse "lady" et là... quel n'est pas mon désagrément de trouver un manteau, une robe, une blouse et une chemise de nuit d'une femme de très petite taille. » À aucun moment elle ne comprend la froideur de Michel à son égard. Elle dont la mission est de le ramener dans le droit chemin.

115

Maman, à cette occasion, fut totalement aveuglée au point de ne plus voir ce qui était évident. Les larmes dans les yeux de son fils, elle les attribuait à un état d'enfermement et d'anxiété « pathologique » qui l'empêchait de se détourner de cette femme. Elle ne ressentait pas le terrible déchirement de notre frère qui voyait sa propre mère tenter de nier ce qu'il avait de plus cher, son amour pour Béatrice.

Cet aveuglement, mère n'est pas la seule à l'avoir subi. Tous, nous l'avons ressenti à diverses reprises. Père est plus qu'un séducteur, c'est un manipulateur. Vivre dans son environnement, c'est vivre dans un monde à part. L'histoire, la mission et l'aura que dégage notre famille se concentrent comme dans l'œil d'un cyclone en la personne de son chef. La vénération de ceux qui l'entourent, ses paroles que boivent une meute de courtisans, ses écrits que l'on étudie, que l'on dissèque, et que l'on interprète créent autour du comte de Paris une ambiance de déification. Pour beaucoup, ses désirs sont des ordres. On interprète ses gestes, on tente de devancer ses volontés. Dans ce microcosme, la réalité commune est normée par Monseigneur. La vie ne prend bientôt de sens que par lui et pour lui. L'idée de l'expulsion hors de cet univers, où chacun fait reposer ses espoirs tant philosophiques, spirituels que politiques, est vécue comme un cauchemar, une damnation. Tous, nous fûmes atteints par ce syndrome, qui se modula selon les caractères de chacun, et nous procurait une crainte constante et profonde de notre père. Alors maman, si amoureuse

116

de papa et qui n'a jamais cessé de l'être, fut long-temps l'instrument docile de ses volontés. Une pieuse prisonnière, aimante de ses chaînes, aveugle de la douleur engendrée chez les siens par l'harassante dictature paternelle.

17 septembre 1997, 15 heures

Lorsqu'on brise la loi de soumission à laquelle est soumise la famille, que l'on se révolte, que l'on dit non, le voile tombe et le vrai visage de papa surgit de l'ombre. Ce matin, père m'a téléphoné. Il voulait que je cède et que je ne m'oppose plus au changement de régime matrimonial qui l'unit à maman :

« Tu ne comprends rien. Cela protégera ta mère... Je suis sûr de "passer" avant elle, et je souhaite que le patrimoine soit en bon ordre. Tu comprends ? Ta mère n'a jamais su s'occuper de tout ça. Elle risque de faire n'importe quoi.

– Maman ne sera pas seule. Et puis nous ne voulons pas que tout prenne la même direction.

– Qu'est-ce que tu veux dire ?

– Vous le savez très bien, papa ! Vous vendez. Vous vendez tout depuis quelque temps. Nous ne voulons pas... que le patrimoine disparaisse !

– Pauvre imbécile ! Tu n'y connais rien... Je fais ce qui doit être fait. Un point, c'est tout !

– Père, vous n'avez pas besoin d'avoir accès au patrimoine de maman. Nous ne vous laisserons pas changer votre régime matrimonial.

– Mais ta mère est d'accord avec moi.

– Cela ne change rien. Maman ne sait pas vous dire non.

– Je te préviens, Jacques, si tu ne changes pas ton fusil d'épaule, je vais briser ta carrière, tu ne pourras plus travailler nulle part, ta femme aura honte de toi.

– Et comment ferez-vous cela ?

– Si tu me mets au défi, je demande un rendez-vous avec Paul Ricard, que je connais fort bien, et je lui demande ta tête. Tu sais qu'on ne me refuse jamais rien !

– Faites-le ! Paul Ricard a beaucoup d'estime pour moi. Il ne vous écoutera pas. »

Sur ces mots il a raccroché. Il sait que j'ai raison. Il sait aussi que nous avons de grandes chances de l'emporter dans ce nouveau procès qui nous oppose. Son coup de téléphone n'avait qu'un but : m'impressionner en agitant les fils de marionnettiste qu'il croit avoir greffés sur moi. Ces fils ont peut-être existé, mais je les ai coupés. Je ne les laisserai pas retisser. Nous irons jusqu'au bout. La situation doit être terriblement douloureuse pour papa. Sa mauvaise conscience est la flamme qui fait bouillir sa haine. Il sait que nous le voyons tel qu'il est, et cela l'oblige à accepter un peu cette impitoyable image de lui-même. Il se refuse à être le fossoyeur du patrimoine de la famille de France, et pourtant...

18 septembre 1997, 17 heures

Maman m'a téléphoné. Elle ne m'a rien dit, mais toutes ses phrases cherchaient insidieusement à éveiller ma culpabilité. Elle veut être conciliante. Elle m'a longuement parlé de père qui est malade et qu'il faut comprendre. C'est lui, j'en suis sûr, qui lui a demandé de m'appeler. Sa conscience doit le travailler et ce travail est à la mesure de notre refus. Non, nous ne fermerons pas les yeux, même si la colère ne le quitte plus. La mauvaise conscience a toujours été chez lui un sentiment dévastateur. Elle l'emporte si souvent dans des tornades de violence !

Mon premier souvenir de son visage est une sorte de masque figé, aux mâchoires serrées, parcourant rageusement de grands journaux dont il faisait claquer les pages. Cette image est restée ancrée dans ma mémoire avec une forte charge d'émotivité. J'étais terrifié par cet homme qui déambulait dans la maison, claquant les portes derrière lui et hurlant. J'avais à peine quatre ans et on me disait que c'était mon père. J'assistais, pour la première fois, à une grande vague de colère paternelle. Cet état de rage ne le quittait plus depuis un certain Noël de 1942. Ce fut notre quotidien jusqu'à ce que les troupes alliées débarquent en Normandie et que la configuration des événements donne au comte de Paris un autre espoir.

Les colères et la mauvaise conscience de papa sont des choses bien étranges. En fait, nos rapports à notre père ont été conditionnés par sa vie politique. Ses échecs, ses erreurs nous coûtaient beaucoup en répression, et ce sont nos fesses qui payaient la note des rebuffades de la République. De janvier 1943 à juin 1944, l'homme avec qui nous partagions notre quotidien, et mes sœurs aînées s'en souviennent mieux que moi, était une tornade furieuse à l'approche de laquelle chacun se cachait. Cette colère avait pour source une honte que papa dissimulait mal. Cette honte, il la dissimule encore aujourd'hui à grands coups de communiqués rageurs, lorsqu'un journaliste ou un historien lui rappelle les faits.

Cela se déroula en Afrique du Nord. La blanche ville d'Alger en fut le décor. Le drame historique auquel participa notre père est digne de Balzac. Sur quelques semaines, le sort de la France et l'avenir de son peuple se sont joués en une partie de poker politique et meurtrière, aussi complexe qu'extraordinaire.

Le 8 novembre 1942, les troupes américaines débarquent en Algérie et au Maroc. Le succès de cette offensive est largement préparé par la résistance locale. En Algérie, ces forces de l'ombre sont animées par ceux que l'on appelle, aujourd'hui encore, le « Groupe des Cinq ». Ce nom, digne d'un roman d'aventures pour adolescents, cache un groupe d'hommes particulièrement efficaces, voire redoutables. Ces cinq-là ne sont pas de la même trempe. Tout les oppose : la politique, l'extraction, le goût, la culture, le caractère... sauf l'impérieuse nécessité de résister aux forces d'occupation allemandes. Henri d'Astier de La Vigerie, superficiel-

Isabelle, future comtesse de Paris,
au Brésil vers 1912 entourée de
ses cousins Louis-Gaston (à gauche)
et Pierre-Henri d'Orléans-Bragance.

Le comte de Paris
au début des années 30
au manoir d'Anjou
près de Bruxelles.

Le duc de Guise en 1939
en compagnie de ses
petites-filles Isabelle
et Hélène.

Le comte de Paris lors de son
service militaire à la Légion
étrangère en 1940, au camp
de Sathonay, près de Lyon.

Le comte et la comtesse de Paris
au Maroc en 1934-1935.

La comtesse de Paris à Louveciennes
le 5 juillet 1957, portant la parure
de Marie-Antoinette, en compagnie
de sa fille Chantal, à l'occasion
du mariage d'Henri.

La comtesse de Paris et ses filles en 1952 à la Quinta do Anjinho. Au premier plan,
de gauche à droite : Anne, Chantal et Diane. Au second plan, Claude, Hélène et Isabelle.

Le comte de Paris portant Thibaut sur ses genoux et entouré de ses fils.
De gauche à droite : Michel, Henri, François et Jacques.

François en 1958 partant pour son service militaire en Algérie.

Le prince Thibaut à la Quinta do Anjinho en 1954.

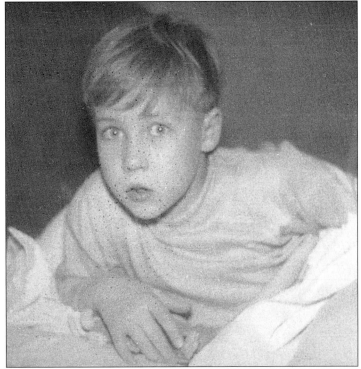

Au Vatican en 1983 en compagnie de Jean-Paul II . Au premier rang, de gauche à droite :
Diane, Adélaïde, Charles-Philippe, Melchior, Foulques, Charles-Louis. Au deuxième rang :
Béatrice, Hélène, Clotilde, la comtesse de Paris, Claire, Vincent, Damien, Lorraine.
Au dernier rang : Bruno, Michel, Jacques, Isabelle, Tali.

La comtesse de Paris dans son rôle de grand-mère, en compagnie des enfants
de Diane de Wurtemberg.

Le duc d'Orléans à Saint-Germain-en-Laye
lors d'un concours hippique.

Le 4 août 1969, le duc d'Orléans épouse
Gersende de Sabran-Pontevès.

Le duc d'Orléans et les enfants de Diane de Wurtemberg à Altshausen (Allemagne).

Le duc d'Orléans aux Invalides en 1987, en compagnie de ses fils Charle-Louis, duc de Chartres, et Foulques, duc d'Aumale.

Armes de France

De gauche à droite : Jean, duc de Vendôme, le duc d'Orléans, le comte de Paris et Charles-Louis, duc de Chartres, en 1997.

lement gaulliste et farouchement monarchiste, est le représentant officiel du comte de Paris à Alger. Il est, sans doute, le personnage central du groupe. Il dispose d'un atout majeur en la personne de son frère, le général François d'Astier de La Vigerie. Lui aussi royaliste convaincu, mais totalement dévoué au général de Gaulle. François d'Astier ne fait pas partie du Groupe des Cinq. C'est principalement grâce à François que les Cinq ont reçu armes, munitions et financement. Le nom de code d'Henri d'Astier de La Vigerie est « Oncle Charlie » !

Jacques Lemaigre-Dubreuil, autre membre du Groupe des Cinq, est un personnage beaucoup plus complexe, voire trouble. Banquier, capitaine d'industrie, directeur des Huiles Lesieur, c'est un fasciste de la première heure. Avant la guerre, il était l'un des financiers de la Fédération des contribuables et il a participé aux journées sanglantes du 6 février 1934. En 1937, il a dirigé un hebdomadaire politique, *L'Insurgé*. La ligne éditoriale était violemment antisémite, antidémocratique et xénophobe. Son nom sera retrouvé sur la liste[1] des principaux membres de la fameuse « Cagoule ». D'ailleurs, le 6 juin 1945, un certain Ferdinand Ladislaz Jakubiez fit une déposition devant le directeur de la Sûreté nationale. Il reconnut appartenir à l'Action française depuis 1928 et affirma avoir, en 1936, fait office de planton dans les bureaux de la Cagoule, rue de Caumartin. Son service ne s'arrêtait pas là, il était aussi le chauffeur d'Eugène Deloncle, le tout-puis-

---

1. Dite « liste Corre », du nom du responsable de ce fichier.

sant patron de la Cagoule, qui faisait aussi partie du conseil d'administration de plusieurs entreprises financières et de construction navale. Jakubiez déclara avoir conduit, à plusieurs reprises, Deloncle dans les bureaux de Lemaigre-Dubreuil, à la Fédération des contribuables, et affirma que Lemaigre-Dubreuil aurait remis plus d'un million de francs à Deloncle. La Cagoule, que fréquentaient bien d'autres amis du comte de Paris, mais aussi de François Mitterrand, avait pour but d'abattre la République. Il est vrai qu'elle s'en était donné les moyens en rassemblant des stocks d'armes considérables et parmi les plus modernes, et en mobilisant des milliers de militants clandestins et d'appuis conséquents dans l'armée. Les plans de l'insurrection pour une nuit de novembre 1937 avaient été minutieusement mis au point. L'intervention de la police et la défection des militaires compromis mirent un terme à une aventure qui aurait pu déboucher sur un massacre. Or, Jacques Lemaigre-Dubreuil fut certainement parmi les bailleurs de fonds les plus généreux de l'organisation secrète.

L'arrivée de cet homme, au début de l'année 1942, en Algérie, provoque la curiosité de nombreux observateurs et surtout des services de renseignement des deux camps. Que vient faire ce zélateur des dictatures de l'Axe dans un complot insurrectionnel d'inspiration gaullienne, mais instrumentalisé par des royalistes ? La question est longtemps restée en suspens, d'autant que les services secrets anglais et ceux de la France libre, réunis au sein du BCRA, avaient constaté les liens singuliers qui unissaient Lemaigre-Dubreuil à Robert Murphy, représentant personnel du président Roosevelt en Afrique du Nord. Le nom de code de Lemaigre-Dubreuil était « Robinson-Crusoé ». Comme il se doit, il avait son « Vendredi » : Jean Rigault, un petit quadragénaire maigre. Ce personnage, d'aspect insignifiant, était plongé, depuis les années vingt, au cœur de tous les complots. Passant pour être le secrétaire de « Robinson-Crusoé », Jean Rigault administrait une bonne partie de l'empire financier de son patron.

Le colonel Van Hecke était le quatrième de la bande. D'origine flamande, c'était un véritable géant, roux, d'une cinquantaine d'années. Son nom de code était « Robin-des-bois ». Il avait servi vingt ans dans la Légion étrangère, où il avait rencontré le comte de Paris. Chef des Chantiers de jeunesse de Pétain pour toute l'Afrique du Nord, il disposait d'un inépuisable réservoir de jeunes hommes passionnés et pressés d'en découdre avec les nazis. Grâce à lui, les agents du Groupe des Cinq pouvaient sillonner l'Afrique du Nord, par avion et chemin de fer, munis de très officiels ordres de mission.

Le cinquième était Jacques Tarbé de Saint-Hardouin. Un petit homme chauve et pansu, au long nez pointu, qui avait fait une carrière de diplomate spécialisé dans les questions financières. Lui aussi, gaulliste de circonstance mais surtout royaliste et fier de se compter parmi les amis de papa, jouait les interfaces avec le monde grouillant des diplomates d'Alger. À ces cinq mousquetaires s'étaient ralliés quelques personnages non moins importants. Un jeune aumônier de trente ans, l'abbé Louis-Pierre-Marie Cordier, un jésuite au visage sec. Royaliste lui aussi, il était le confesseur de D'Astier, mais aussi son secrétaire. Maître espion, par lui passaient les informations les plus sensibles. Il était chargé de la sécurité et de la conservation des archives du réseau. Il les cacha en lieu sûr, dans le couvent des sœurs de Notre-Dame d'Afrique.

Le dernier de ces personnages de l'ombre qu'il faut impérativement nommer est le commissaire André Achiary. Officier de la sûreté de Vichy, chargé d'assurer les services de contre-espionnage sur tout le territoire algérien, lui aussi était royaliste, bien qu'il se prétendît républicain. En contact avec Londres, grâce à un émetteur donné par les services secrets britanniques de Gibraltar, il sut dissimuler longtemps son appartenance au complot insurrectionnel. Cet homme de quarante ans, légèrement corpulent, était un parfait réaliste.

Le 8 novembre 1942, alors que les forces américaines débarquent en Algérie et au Maroc, Alger se soulève. Du moins, c'est l'impression que donnent les actions commandos du Groupe des Cinq. Car ils ne disposent que de huit cents hommes, dont moins de trois cents à Alger. Les autres sont occupés à des sabotages qui facilitent l'avancée des troupes alliées. Qu'importe leur infériorité numérique ! L'effet de surprise joue en leur faveur. Dans la nuit, leurs commandos prennent d'assaut les principaux points de la ville : la Grande Poste, les bâtiments administratifs, la préfecture, le Conseil général... À l'aube, les troupes américaines se font attendre. Les Allemands et les troupes paramilitaires pétainistes comprennent enfin la faiblesse de leurs adversaires. Les commandos du Groupe des Cinq doivent se battre à un contre cent mais préfèrent mourir que d'abandonner leurs positions. Lorsque les troupes américaines arrivent, 70 % d'entre eux gisent au sol. Les cadres du réseau ne regrettent rien. Ils acceptent ce sacrifice, certains du bien-fondé de leur action.

Le Groupe des Cinq a passé des accords avec Robert Murphy. L'Algérie est la clé de la reconquête du territoire national. Roscoe Hillenkoetter, le futur directeur de la CIA, en a fait lui-même le constat. Au cours de l'été 1940, il a découvert qu'en Afrique du Nord stationnaient cent vingt-cinq mille soldats bien entraînés, et deux cent vingt mille réservistes. Dans les conclusions qu'il a adressées à Washington, il écrivait : « Si un jour la France reprend le combat, ce sera à mon avis en Afrique du Nord. » C'est bien l'avis du Groupe des Cinq. Leur sacrifice, qui a permis d'alléger l'effort militaire anglo-américain, a été négocié. D'après les accords passés, à leur arrivée, les troupes américaines doivent fournir armes, blindés et bombardiers aux troupes françaises d'Afrique du Nord. Les territoires libérés vont devenir la base arrière d'une nouvelle force française indépendante. Cette force doit, impérativement, être placée sous le commandement du général Giraud. Dans ces conditions, le général Giraud, pourvu de cinq étoiles, deviendra le concurrent, voire le supérieur du général de Gaulle, qui lui ne possède que deux étoiles et, à Londres, aucune armée.

Pourquoi ce choix ? Parce que le général Giraud

est en phase avec les impérieuses convictions et les motivations secrètes du Groupe des Cinq. Ils se revendiquent de son action et se méfient de De Gaulle. Mme d'Astier, résumant le sentiment du Groupe, a déclaré à propos du général de Gaulle, quelque temps avant le débarquement d'Algérie[1] : « Nous avons de nombreux amis qui l'ont bien connu avant la guerre. C'est un incroyable égocentriste, un m'as-tu-vu incorrigible. Il pense que tout lui est dû, et n'accepte jamais aucune critique, aucun avis. Il n'a pas d'amis, c'est un imbuvable. C'est d'ailleurs pour cela que si peu de volontaires l'ont rejoint. » Les cadres de ce réseau n'ont pas comme but unique la libération du territoire national, ils veulent aussi préparer l'avenir. C'est à ce niveau qu'intervient le comte de Paris.

Père est en liaison constante avec le Groupe des Cinq. Il sait qu'en Algérie se joue la chance de sa vie. De nouveau la possibilité d'une restauration fait surface. Après l'échec du 6 février 1934, l'affront de Laval et l'outrecuidance de Pétain, il doit saisir cette chance. L'espoir renaissant, la colère de l'échec s'estompe. Mais, pour le Groupe des Cinq, l'aveu de cette finalité est impossible. Impossible d'imposer immédiatement le comte de Paris aux Anglais et aux Américains. Il faut donc un homme qui, au bon moment, s'écartera devant le roi. Le général Giraud a un grand avantage : il est royaliste ! Le général de Gaulle, assis sur une union très large, et de ce fait

---

1. Propos cité par Mario Faivre dans son livre, *Nous avons tué Darlan,* aux éditions de La Table ronde, p. 120.

126

très instable, allant des communistes aux nationalistes patriotes, a clairement fait savoir que la restauration ne peut entrer dans ses projets. Le général Giraud, cache-nez du comte de Paris, emporte aussi l'assentiment de Lemaigre-Dubreuil et de Jean Rigault, pour une tout autre raison qui tient à la nature même de la mission secrète de ces hommes, dont papa n'ignore rien. Le directeur de Lesieur a servi à l'état-major du général Giraud pendant la « drôle de guerre » avec le grade de capitaine. Ils se connaissent. Par ailleurs, ce général ne peut être taxé de sympathie pour les nazis car il a été leur prisonnier. Mais il reconnaît volontiers son allégeance au maréchal Pétain. Profondément nationaliste et royaliste, il est aussi anti-anglais. Une dernière qualité qui en fait un homme providentiel aux yeux des Américains, toujours prompts à affaiblir politiquement leurs alliés.

Dès le début de 1942, les cercles d'influence et les personnes bien informées savent que les puissances de l'Axe vont être inéluctablement vaincues. Le comte Ciano, gendre de Mussolini, écrit dans son journal : « Notre puissance militaire s'affaiblit. Il nous faudrait pouvoir jeter des forces fraîches en Afrique, en Russie, dans les Balkans et dans les pays occupés. J'ai parfois l'impression que l'Axe est comme un homme qui cherche à se pelotonner sous une couverture trop courte. S'il réchauffe ses pieds, il a froid à la tête. Et s'il essaie de se couvrir la tête, il a les pieds glacés. » Les services secrets de la marine française font un rapport, largement distribué aux fonctionnaires de Vichy et aux cadres col-

127

laborationnistes, comparant la production des États-Unis, de l'Angleterre et de la Russie, en charbon, acier, pétrole, etc., avec celle des pays de l'Axe. L'histoire donnera raison aux conclusions de ce *ratio* implacable.

Faut-il voir là une relation de cause à effet, mais c'est précisément à cette époque que les convictions collaborationnistes connaissent une première baisse d'intensité chez les cadres de l'administration vichyste. Les agents doubles se multiplient et la Résistance recrute plus aisément. Cette prise de conscience est aussi partagée par ceux qui, derrière les banques, ont misé sur les puissances de l'Axe et les dictatures en Europe. La victoire, plus que probable, des forces alliées sonne le glas de leurs intérêts. Il est urgent pour eux de trouver un terrain de repli, repli d'autant plus nécessaire que les fanatiques de la collaboration, sentant, eux aussi, le vent tourner, s'enferment dans un extrémisme barbare et délirant. La fuite devient donc urgente pour les milieux financiers et une clique de hauts fonctionnaires collaborationnistes et opportunistes qui prennent conscience que la politique de Vichy est suicidaire. Lemaigre-Dubreuil a reçu la mission de trouver une issue.

Celle qui s'impose, c'est l'Afrique du Nord. Ce territoire, où peut s'installer une force française indépendante, ne doit pas tomber entre les mains d'un de Gaulle ! De Londres, il ne cesse de promettre le jugement des traîtres vichystes. Au mieux, pour les amis de Lemaigre-Dubreuil, c'est l'exil ou la prison et, de toute manière, la confiscation des biens. Le général Giraud offre une alternative tout à fait acceptable, d'autant qu'il n'a nullement l'intention de bouleverser l'administration « provichyste » installée en Afrique du Nord et ailleurs. Il sera alors aisé, en s'aidant de la censure et des répressions policières, de tenir les curieux à l'écart et de faire basculer les intérêts, pour l'instant portés dans le camp des forces de l'Axe, vers celui des Alliés.

Le détail des pérégrinations de Lemaigre-Dubreuil a été mis au jour grâce à un journal suisse, *Le Protestant* qui, citant des sources du milieu bancaire helvétique, en a dressé un exposé circonstancié en 1943. Après avoir intégré le Groupe des Cinq et après les accords passés avec les Américains, Lemaigre-Dubreuil fait savoir à son ami Pierre Pucheu qu'un débarquement allié en Afrique du Nord est imminent. Pierre Pucheu, ancien administrateur de la banque Worms, est ministre de l'Intérieur dans le gouvernement du maréchal Pétain. Pucheu entre en contact avec un directeur de banque qui sert d'intermédiaire entre Vichy et les industriels allemands. Ils décident de se rencontrer, pour plus de tranquillité, à Genève, car son contact habite Bâle : « Par un heureux hasard, le baron von Schrœder passait justement ses vacances en Suisse. Les trois hommes se rencontrèrent et... von Schrœder rentra précipitamment en Allemagne. » La banque Schrœder a pour représentation en France la banque Worms, qui a des intérêts dans la Banque nationale de crédit, la Banque d'Indochine, la Banque de Paris et des Pays-Bas, et aussi dans les charbonnages, les compagnies maritimes, les chemins de fer... Quelques jours après la rencontre des trois hommes, deux importants trusts franco-allemands d'Afrique du Nord, qui ont leur siège à Paris, reçoivent l'ordre de transférer leurs capitaux disponibles vers les succursales de la Banque de Paris et des Pays-Bas au Maroc et à Alger. Dans le même temps, une bonne partie des industries françaises, qui ont reçu des capitaux allemands, se mettent à transférer des sommes colossales à des entreprises d'Afrique du Nord. On estime que, durant les trois semaines qui précédent le débarquement allié en Algérie, neuf milliards de francs sont déposés dans les banques françaises en Afrique du Nord. Des sommes fantastiques qui pourraient être en partie prêtées à ceux qui garantiraient la sauvegarde d'intérêts très particuliers. En quelque sorte, un cadeau de bienvenue au général Giraud sur qui reposent bien des espoirs...

Comme dans tous les plans bien conçus, rien ne se déroule comme prévu. À Vichy, l'amiral François Darlan, chef du gouvernement de Pétain, veille. Lui aussi est conscient de l'inévitable victoire des Alliés. Lui aussi reçoit l'appui d'un clan franco-allemand qui s'inquiète du devenir de ses intérêts. De manière prosaïque, Darlan est prêt à trahir s'il obtient l'assurance d'évincer le général Giraud et de devenir le futur chef de la France libre. Ces assurances, il ne peut les recevoir que des Américains. Une approche de la résistance s'étant montrée désastreuse, cette stratégie relève de la gageure. Un haut fonctionnaire allemand a dit de Darlan : « Demandez une poule à Laval, il vous donnera un œuf et un sourire ; demandez un œuf à Darlan, il vous donnera une poule. » L'amiral François Darlan est un collaborateur assidu et convaincu, et dont l'entrevue avec Hitler, en 1941 à Berchtesgaden, a concrétisé les intentions après la signature des « protocoles de Paris ». Mais les contacts qu'il prend avec les Américains sont vite couronnés de succès. Son premier interlocuteur, l'amiral Leahy, lui donne le sobriquet de « Popeye » dans ses rapports au Département d'État. La proposition de Darlan a séduit immédiatement une partie des conseillers de Roosevelt. Darlan envisage un soulèvement anti-hitlérien en Allemagne, que soutiendrait l'Occident et donc lui-même, pour parer à la menace soviétique. Les contacts de Darlan avec la dissidence allemande et le fameux complot des généraux qui, plus tard, tenteront d'assassiner Hitler, sont très sérieux. Au procès de Nuremberg, le général d'origine autrichienne Erwin Lahousen, aide de camp de l'amiral Canaris, chef des services secrets de l'Abwehr, expliquera que Darlan était en contact avec Canaris au cours de l'année 1942, par l'entremise de Deloncle, l'ex-chef de la Cagoule, qui fut l'un des fondateurs de la Légion des volontaires français contre le bolchevisme.

L'amiral Darlan avait un autre précieux avantage aux yeux des Américains : il avait placé à tous les postes importants de l'administration d'Afrique du Nord, aussi bien militaire que civile, des officiers acquis à sa personne. La situation était tellement criante que le cardinal Liénart, malade, fit cette boutade : « Je ne peux pas me permettre de mourir maintenant. Il me remplacerait par un amiral... » Les Américains, pragmatiques, ne veulent pas engager de troupes trop importantes en Algérie et, de surcroît, souhaitent laisser, sur les territoires libérés d'Afrique du Nord, le strict minimum d'effectifs. L'urgence, c'est le front ! Il faut réduire, le plus rapidement possible, les forces allemandes et italiennes. Les Américains jugent que l'Afrique du Nord est majoritairement provichyste. Darlan, chef d'un gouvernement provisoire des territoires français d'Afrique, sonne comme une garantie de stabilité.

On sait, aujourd'hui, qu'une bonne partie des généraux de l'armée américaine luttaient contre de Gaulle et les Anglais, les considérant trop ouverts aux idéologies sociales et trop compromis avec les Russes. Ils militaient donc pour une paix signée avec des forces antibolcheviques franco-allemandes, qui auraient su se débarrasser d'une partie de l'appareil nazi. Il était fortement question, pour eux, de créer une sorte de protectorat européen, sous contrôle américain, dont l'axe principal aurait été franco-allemand.

À la fin d'octobre 1942, Darlan a été averti de l'éminence du débarquement. Il s'est précipité en Algérie sous un fallacieux prétexte. Le 8 novembre, les forces américaines débarquent, mais le sous-marin américain qui transporte le général Giraud ne peut aborder les côtes algériennes. Incident ? Mauvaises conditions météo ? Avarie intentionnelle ? Nul ne peut le dire. Aujourd'hui encore, les historiens s'interrogent sur la position exacte de ce fameux sous-marin le jour du débarquement. Le 8 novembre, dans la soirée, l'amiral François Darlan signe, en compagnie du maréchal Juin, commandant en chef des forces françaises en Afrique du Nord, une trêve avec les Américains. Les mêmes signent un cessez-le-feu général le 10 novembre. Le 12 novembre, appuyé par les Américains, Darlan prend le pouvoir sur les territoires français d'Afrique du Nord. Le 23 novembre, Roosevelt donne instruction au général Clark, commandant en chef des forces américaines en Afrique du Nord, de maintenir Darlan « ... pourvu qu'il donne satisfaction ! ».

À Vichy, Pétain et Laval déclarent officiellement que Darlan est un traître, mais les services secrets anglais découvrent rapidement que des marins de l'Amirauté disposent d'une liaison, par câble secret, avec leurs supérieurs à Paris. Par ce canal, Darlan est resté en contact étroit avec Vichy. Pétain, Laval et Darlan échangent des informations et s'assurent mutuellement de leur soutien.

Darlan se met immédiatement au travail et crée un « haut-commissariat », une sorte de gouvernement où les secrétaires ont rang de ministres. Les mouvements de résistance communistes, gaullistes et monarchistes manifestent violemment leur dépit. Les Américains commencent à comprendre que Darlan n'est soutenu que par une caste de militaires, de hauts fonctionnaires et d'hommes d'affaires, et que ce soutien se limite à une petite partie de cette élite. Les armes circulent. Il faut calmer le jeu. Sous l'influence des Américains, Darlan finit par accepter que trois membres des cadres des commandos de résistance qui ont libéré Alger avant l'arrivée des Américains soient nommés dans son « haut-commissariat ». Henri d'Astier devient secrétaire adjoint à l'Intérieur avec comme attribution principale la direction de la police et du renseignement. Jean Rigault devient secrétaire aux Affaires politiques, ce que l'on appellerait aujourd'hui ministère de l'Intérieur. Jacques Tarbé de Saint-Hardouin est nommé secrétaire aux Affaires étrangères. Cela ne suffit pas. Les lois antisémites sont maintenues en vigueur. Les camps de concentration, sous le contrôle des miliciens vichystes, demeurent. Chaque jour, des résistants et des communistes y meurent. L'image de Pétain reste partout affichée. La tension est grande. On craint un bain de sang. Dans les bars d'Alger, des dizaines de jeunes hommes qui ont participé à la libération d'Alger rêvent d'en découdre. Certains échafaudent des plans d'attentats, mais tous s'interrogent sur les risques d'une guerre civile.

Mario Faivre est l'un de ceux-là. Il est proche du Groupe des Cinq, et a vingt ans à l'époque. Grâce à lui, nous connaissons en détail les événements qui suivent.

Nous sommes le 10 décembre 1942. Mario Faivre est inquiet. Depuis quelques jours, il n'a pas vu l'abbé Pierre-Marie Cordier. Lorsqu'il le croise rue La Fayette, à Alger, Cordier a les traits tirés. Il n'a pas dormi. Il prend Mario à l'écart et lui dit qu'il doit lui parler. Tous deux s'installent dans un bar, à une table de l'arrière-salle, loin des oreilles indiscrètes. Le prêtre se lance dans un discours, visiblement il veut convaincre Mario.

« La situation actuelle nous paraît sans issue, nous en avons souvent parlé. Tout le monde ici est divisé bien que beaucoup acceptent, pour l'instant, l'autorité de Darlan... Les forces des factions rivales immobilisent l'action que nous pourrions mener. Il est indispensable de recoller les morceaux, de refaire l'unité pour reprendre dans de bonnes conditions la lutte contre l'Axe, préparer l'avenir... Il ne faudrait pas que la libération de la métropole, qui interviendra un jour, aboutisse à une guerre civile. Nous avons besoin d'un élément fédérateur. Nous avons besoin d'un homme qui puisse être accepté par tous. Je suis sûr que tu as déjà son nom sur les lèvres.

– De Gaulle ?

L'abbé Cordier se fend d'une grimace, ses efforts pédagogiques ne sont pas payants.

– Mais non ! Tu sais bien que le général de Gaulle est... Il ne peut faire l'unité. Aujourd'hui il divise profondément. Je sais que pour vous c'est un modèle. Pour nous aussi. Mais il faut être réaliste. Tu ne vois pas de qui je veux parler ?

– Non je ne vois pas.

– Mais du comte de Paris, enfin ! »

Mario reste médusé.

« On ne sait même pas où il est !

– Il est à deux pas d'ici ! »

Mario Faivre apprend qu'avec une auto des Chantiers, conduite par le chauffeur du colonel Van Hecke, l'abbé Cordier est allé au Maroc muni d'un ordre de mission signé par le général de Monsabert. Ils ont retrouvé le prince à Oujda. Il est accompagné de son aide de camp, le directeur de la BNCI d'Oujda. Ils sont arrivés le matin même, de bonne heure. L'abbé Cordier demande alors à Mario Faivre s'il est prêt à les suivre.

« Et que faites-vous de Darlan ?

– Nous espérons que Darlan va comprendre. Des personnes dans son entourage direct vont s'efforcer de l'y amener. »

Mario Faivre n'est pas royaliste, il est l'un de ces innombrables jeunes Français d'Algérie qui admirent de Gaulle parce qu'il symbolise l'esprit de la résistance. C'est dans ce vivier de jeunes que puise le Groupe des Cinq, ce sont eux qui forment les commandos qui ont soutenu efficacement l'avancée des troupes américaines. Ces jeunes ne partagent pas l'idéal royaliste de leurs maîtres mais qu'importe, ils croient à l'union dans la lutte. Mario Faivre voue une amitié sincère à l'abbé Cordier. Dès cet instant, il adhère au complot qui va aboutir à l'assassinat de Darlan. Et puis, Mario admet que « si de Gaulle, Giraud et les principales factions pas trop compromises dans la collaboration se rangent derrière la bannière du comte de Paris, cela peut permettre une solution qui, même provisoire, rendrait possible la réconciliation indispensable ».

Mario Faivre ne se trompe pas. L'ombre du comte de Paris qui plane sur Alger provoque bien des ralliements. Les personnalités, les industriels, les hauts fonctionnaires se bousculent, avec une discrétion toute relative, dans les appartements qu'il occupe avec son aide de camp. La pression sur Darlan commence à se faire sentir. Le 18 décembre, les trois présidents des conseils généraux d'Algérie se rendent chez Darlan. Ils veulent lui faire lecture d'un document. C'est une véritable sommation. Darlan doit se retirer, les intérêts supérieurs de la nation l'exigent : « Vous ne remplissez aucune des conditions qui confèrent les pouvoirs d'un gouvernement légal et indépendant. Vous êtes dans l'impossibilité d'obtenir des puissances alliées les garanties indispensables à l'avenir de notre pays. Lorsque le gouvernement légitime est mis dans l'impossibilité d'exercer son autorité, la loi du 15 février 1872, dite loi de Treveneuc, stipule qu'il appartient aux conseils généraux des départements restés libres de choisir le chef du gouvernement provisoire. Nous vous demandons de remettre entre nos mains votre démission afin que nous puissions appliquer la loi dans le respect de la constitution. »

Face à une déclaration si bien tournée, les alliés du Groupe des Cinq et le comte de Paris lui-même pensent que Darlan va s'incliner. Beaucoup estiment que cette démarche lui offre une porte de sortie idéale. Mais Darlan refuse de recevoir les trois présidents. Jacques Tarbé de Saint-Hardouin insiste et lui présente le texte de la sommation. L'amiral ne veut rien entendre. Les trois présidents des conseils généraux doivent faire demi-tour. C'est une véritable humiliation : pour le Groupe des Cinq et pour le comte de Paris. La question de l'élimination de Darlan est posée et la réponse semble s'imposer d'elle-même, car à tout moment ils risquent d'être dépassés par leur base... et ce serait la guerre civile !

Dans la nuit, les murs d'Alger se couvrent d'inscriptions : « À mort le traître Darlan. » Le 19 décembre 1942, le général François d'Astier de La Vigerie arrive en secret à Alger. À son arrivée, il explique à son frère Henri, l'un des chefs du Groupe des Cinq, que son véritable objectif est de rencontrer le comte de Paris au nom du général de Gaulle. La rencontre a lieu dans l'appartement des D'Astier à Alger. Le prince reste plus de deux heures en tête à tête avec le général François d'Astier. Le général de Gaulle veut l'élimination de Darlan, mais le seul à pouvoir réellement donner cet ordre, tant sur le plan moral que stratégique, c'est mon père, le comte de Paris. Sans doute parle-t-on de l'avenir, et d'une éventuelle constitution monarchique qui pourrait s'élaborer à partir de l'Algérie. On négocie et on se partage le pouvoir : pour le comte de Paris, une sorte de présidence avec autorité morale et symbolique ; pour le général de Gaulle, le gouvernement réel, et pour le général Giraud, le commandement militaire. On parle, bien évidemment, des neuf milliards de francs que certains groupes financiers ont transférés en Algérie et au Maroc. Sur tous ces points un accord est trouvé. À la sortie de la réunion François d'Astier exprime sa satisfaction, et le prince sa joie et son optimisme.

Après cette entrevue, le général François d'Astier rencontre l'amiral Darlan, le 21 décembre. L'homme du général de Gaulle essaie, une dernière fois, de convaincre Darlan, mais l'amiral reste accroché à son fauteuil de chef de l'État français en Afrique du Nord. Pire, il menace François d'Astier de l'arrêter s'il ne part pas immédiatement. Darlan l'accuse de troubler l'ordre public ! Aux yeux du Groupe des

Cinq, l'assassinat de Darlan apparaît comme la seule solution. Tous se tournent vers papa. La rue veut la mort de Darlan, de Gaulle veut la mort de Darlan, la Résistance veut la mort de Darlan, mais que veut le comte de Paris ? Pour l'abbé Cordier, pour Henri d'Astier, et pour beaucoup d'autres, il me semble que mon père était le seul à pouvoir lever l'interdit moral qui les freinait dans leur projet d'assassinat. Mon père était le seul à pouvoir justifier, par son autorité royale, ce geste qui n'avait rien à voir avec un combat guerrier.

Devenir un assassin n'est pas un choix facile. Papa était le seul à incarner un semblant de raison d'État : l'ordre devait venir de lui et de nul autre. Ceci, mon père le nie farouchement. Il affirme que s'il est venu à Alger en décembre 1942, ce n'est que pour offrir une alternative pacifique et négociée au pouvoir de Darlan. Pourtant, les témoins directs de cette histoire le contredisent. À commencer par la femme d'Henri d'Astier, qui a fait des circonstances de l'assassinat de Darlan un récit précis et daté, dans une lettre que rendit publique Alain Decaux en 1979. La publication de cette lettre fit scandale. Papa essaya d'en contester l'authenticité. Il protesta, mais il ne put jamais démontrer que les faits énoncés par Mme d'Astier étaient faux. Mario Faivre accrédite, lui aussi, le récit de cette femme. Dans son livre *Nous avons tué Darlan*, il brosse un récit de la journée du 21 décembre 1942 où tout a basculé.

Il est presque dix heures du matin. Mario Faivre comprend bien que les événements s'accélèrent. Il voit que l'assassinat de Darlan se prépare. C'est alors que, dans la rue, il croise Jean-Bernard d'Astier, le fils d'Henri d'Astier. Il l'interroge immédiatement sur les préparatifs :

« Et le comte de Paris ? Que pense-t-il de l'acte envisagé ? Il a donné son accord ?

– Tout cela est très important. Il vaut mieux que tu saches la vérité. Mais je préfère que ce soit ma mère qui te le dise elle-même. »

En silence, les deux jeunes hommes se rendent rue Lafayette où vivent les d'Astier. À peine la porte de l'appartement refermée, Jean-Bernard demande à sa mère :

« Maman, je pense que Mario doit être mis au courant !

– Tu as raison ! Tout ceci est secret aujourd'hui, mais un jour nous pourrions être heureux qu'il puisse témoigner de la vérité. Tout s'est mis en place avant-hier, lundi 21 décembre. Dans la matinée, l'aide de camp du comte de Paris nous a prévenus, mon mari, l'abbé Cordier et moi-même, que Monseigneur avait une importante communication à nous faire. Il désirait que nous nous rendions auprès de lui. Nous nous sommes rendus dans sa chambre. Le prince souffrait d'une crise de paludisme et de furonculose, il était alité. Son attitude avait changé. Nous le sentions hésitant et velléitaire, il nous est apparu tranchant et décidé. Nous nous tenions tous autour du lit. Mon mari à droite du lit, l'abbé Cordier de l'autre côté et moi appuyée à un meuble. Le prince nous a alors déclaré : "J'ai maintenant la certitude que Darlan est un traître. Son maintien au pouvoir empêche toute solution. Je vous donne l'ordre de l'éliminer sans délai. Tout doit être terminé pour le 24 décembre." Mon mari, Henri d'Astier, lui a alors demandé ce qu'il entendait pas "éliminer". Le prince a répondu : "le faire disparaître." Henri a insisté : "Par tous les moyens ?" Le prince a déclaré : "Oui, c'est cela, par tous les moyens !" »

Les dés roulent. Père joue le tout pour le tout.

11

La honte

Je ne peux pas aller déjeuner. Il faut que j'en finisse avec le récit de ce meurtre. Plus les mots s'inscrivent et plus je comprends à quel point cet épisode, précis et complexe, de la vie de papa, fut une épreuve terrifiante. Une épreuve dont il ne pouvait sortir indemne. Une initiation à la réalité politique, bien trop violente pour lui. Je suis persuadé qu'il y a eu un accord entre papa et de Gaulle, pour qu'il donne cet ordre de manière aussi formelle. Un accord qui ne fut pas honoré.

L'une des conséquences du maintien de Darlan au pouvoir en Afrique du Nord effrayait autant le militaire que le prétendant au trône : si Darlan n'était pas éliminé rapidement, au profit d'hommes qui avaient la confiance des mouvements de résistance métropolitains, ces derniers allaient se ranger définitivement sous l'influence des directives soviétiques. Une situation qui s'avérerait catastrophique le jour de la Libération. La France passerait alors du joug de la dictature hitlérienne à celui de Staline. Une situation qui n'enchantait pas davantage les amis financiers et industriels de Lemaigre-Dubreuil. Des amis que connaissait fort bien mon père. Les esprits vibraient donc à l'unisson et la note était morbide, comme souvent lorsque l'histoire est au rendez-vous. Il n'y a aucun déshonneur à avoir donné cet ordre. Bien au contraire, cette décision n'était que justice et relevait d'un devoir historique et moral. La mauvaise conscience de mon père est à chercher ailleurs. D'une part dans le *modus operandi* de l'assassinat de Darlan et, d'autre part, dans le jeu extrêmement machiavélique que joua le général de Gaulle.

Pour ce qui est du meurtre de Darlan, c'est encore Mario Faivre qui en a fait le récit le plus précis. Retournons donc à ces derniers jours de décembre, peu avant Noël 1942. Cela fait déjà plusieurs semaines que l'abbé Cordier et Henri d'Astier, en ultime recours, tracent les plans d'un attentat. Les plans d'action doivent tenir compte d'une notion cruciale : en aucune manière il ne faut que de Gaulle, la Résistance et le prince puissent être impliqués. Il faut que ce geste soit celui d'un homme seul. Ils ont besoin d'un Ravaillac. Mieux encore, après son geste le tueur doit disparaître. Le 23 décembre, le plan de l'abbé Cordier est définitivement arrêté. Le tireur sera Fernand Bonnier de la Chapelle, un jeune résistant fraîchement converti au royalisme. Il n'a que vingt ans, mais son enthousiasme s'est enflammé dès que l'abbé lui a appris que le comte de Paris mettait tous ses espoirs dans son action.

144

Comme s'il voulait y croire, les instigateurs de ce meurtre ont prévu la fuite du jeune Fernand. Le plan est extrêmement simple. Muni de faux papiers et d'un laissez-passer, Fernand Bonnier de la Chapelle se rendra au Palais d'été. Il doit attendre l'amiral dans le couloir de son bureau et lui tirer deux à trois balles, à bout portant, dans la nuque. Profitant de la panique, Bonnier se précipitera dans le bureau de Darlan et se jettera par la fenêtre qui aura été laissée ouverte. Dans la rue une voiture s'occupera de l'évacuer.

Le 23 décembre dans l'après-midi, l'abbé Cordier vient chercher Mario Faivre qui attend dans un café. C'est Mario qui doit conduire, en voiture, Fernand au Palais d'été. Près d'une 302 Peugeot, Fernand est là, avec Jean-Bernard d'Astier. Il fait beau. Les trois jeunes hommes se serrent la main. Ils montent en voiture et s'éloignent un peu de la ville. Fernand veut essayer son arme. Il est calme. Dans un chemin creux, à l'abri d'un talus, Bonnier sort un énorme revolver et tire. La première balle rate, les deux suivantes partent bien. Bonnier demande à ses amis s'ils n'ont pas une autre arme. Jean-Bernard lui donne un 7,65 Ruby. Bonnier tire plusieurs coups. L'arme lui convient. Mario lui trouve deux chargeurs, puis, toujours ensemble, ils prennent le chemin du Palais d'été. Les fenêtres de la voiture sont ouvertes, aux terrasses des cafés leurs amis les voient passer. Mario arrête la voiture sur la place de l'église, à quelques mètres des grilles. Un char est venu renforcer les gardes mobiles qui assurent la sécurité du bâtiment. Bonnier descend de la voiture. Aussitôt il demande à ses complices de partir. D'un geste ils se disent adieu. Bonnier présente ses faux papiers aux huissiers et une fausse convocation, à un soi-disant rendez-vous avec Louis Joxe. Le fonctionnaire ouvre son registre et note soigneusement le nom du visiteur et l'heure de son arrivée. Enfin, il peut entrer. Plus loin un planton le fait pénétrer dans une petite salle d'attente. Il est un peu moins de 15 heures. Les bureaux sont déserts.

Bonnier ressort de la salle d'attente comme s'il voulait fumer une cigarette. En allumant son briquet, il scrute le couloir par lequel Darlan doit arriver. Dans la cour, un détachement de gardes indigènes est brutalement extrait de sa léthargie. Les pneus d'une voiture noire font jaillir une gerbe de graviers. Les portières claquent. L'amiral François Darlan et son officier d'ordonnance s'engagent dans le couloir où attend Fernand Bonnier de la Chapelle, la main serrée sur son arme. Devant la porte de l'antichambre qui mène aux bureaux de Darlan, nul ne s'étonne de l'absence de la sentinelle et du planton. Ils passent devant un jeune homme. Des coups de feu retentissent, l'amiral s'effondre. L'officier d'ordonnance qui ouvrait la porte devant Darlan reçoit l'amiral dans ses bras et vacille. Bonnier tente d'enjamber le corps pour rejoindre la fenêtre par laquelle il doit s'enfuir. L'officier lui attrape la jambe, puis le saisit à la gorge. L'arme de Bonnier est sur le visage de l'officier. Bonnier tire. La balle effleure la joue de l'officier, il lâche prise. Le jeune homme se précipite sur la fenêtre, l'officier se redresse, Bonnier tire à nouveau. L'officier

146

s'effondre en se tenant le ventre. Mais la fenêtre résiste. Lorsqu'elle s'ouvre, deux spahis se jettent sur le meurtrier. À terre, Fernand Bonnier de la Chapelle est assommé, puis menotté. Quelques instants plus tard, l'amiral Darlan décède à l'hôpital.

Dans les rues d'Alger, où l'on attend un événement sans trop savoir lequel, les terrasses des cafés sont bondées. Bientôt la rumeur circule. Darlan est mort ! Certains commencent à faire la fête alors que l'information est censée restée secrète. Mario Faivre, en fin de journée, se rend au domicile des D'Astier. Mme d'Astier et ses filles sont seules. Ensemble, ils attendent en silence. On sonne. C'est Alfred Pose, un membre du haut-commissariat de Darlan, mais aussi un conjuré. Il est essoufflé. Il leur annonce que Darlan est bien mort, mais que Fernand est prisonnier. Immédiatement Mme d'Astier et ses filles veulent se rendre à l'église pour prier. Mario les accompagne en voiture. Un peu plus tard, c'est l'effervescence au domicile des D'Astier. Henri d'Astier et l'abbé Cordier dirigent un véritable conseil de guerre. Normalement les plans sont faits. Un journal annonçant la prise du pouvoir par le comte de Paris est prêt. Papa a déjà écrit l'allocution qu'il souhaite prononcer à la radio. Si les choses se passent comme prévu, d'ici quelques jours les présidents des conseils généraux d'Algérie devraient le nommer à la tête d'un gouvernement français d'Afrique du Nord. Les Américains sont même censés apporter leur soutien à ce projet. Mais, dans l'appartement, les visages que scrute Mario Faivre ne reflètent pas l'optimisme. C'est plutôt le masque de la peur qui s'accroche à la face de ces hommes affairés. L'abbé Cordier s'approche de Mario :

« Les nouvelles ne sont pas bonnes...

– Où est Fernand ?

– Il n'a pas pu s'échapper. Mais ce n'est rien encore. Il n'a pas été arrêté par la DST, qui est avec nous, mais par la police judiciaire. Ce sont tous des vichystes fanatiques. Nous n'avons aucun pouvoir sur eux.

– Que comptez-vous faire ?

– Nous ne pouvons pas faire grand-chose. Surtout depuis qu'un journaliste a permis son identification. Tu comprends, maintenant ils savent qu'il fait partie de notre réseau. On peut s'attendre à tout. »

Il faut donc réagir vite. La nomination du comte de Paris par les présidents des conseils généraux prendra plusieurs jours, une semaine peut-être. D'ici là, l'enquête de la police judiciaire aura eu le temps d'avancer. Le complot sera éventé. Dans les quarante-huit heures, Henri d'Astier, l'abbé Cordier et tous les autres peuvent se retrouver derrière les barreaux. L'intérim du pouvoir laissé vacant est assuré par des hommes proches de Darlan et dévoués à Vichy. Le Groupe des Cinq ne peut rien attendre d'eux : l'enquête ne sera pas étouffée. Seuls les Américains, peut-être, peuvent faire quelque chose. Dans la nuit, Cordier et d'Astier foncent chez Robert Murphy. L'entrevue tourne court. Murphy a déjà des directives de Roosevelt. Jamais l'Amérique ne soutiendra le prince. Les champions de la liberté ne peuvent être les maîtres d'œuvre d'une restauration royaliste. Le peuple français aura tout

148

le loisir de s'exprimer après la Libération. Pour l'heure, la vacance du pouvoir en Algérie est une crise que l'administration française doit gérer seule et de manière légale. C'est à ça, et à ça seulement que veilleront les autorités américaines.

Cordier et d'Astier sentent une pluie de couteaux s'abattre dans leur dos. L'appui des Américains au projet du comte de Paris était une chimère. Comme d'habitude, les fidèles de la cause royaliste ont pris quelques paroles polies et diplomatiques pour des quitus à leurs obscurs projets. Le lendemain, lorsque père apprend que les Américains ne sont plus de la partie, il déclare : « Plus rien n'est possible, tout est perdu ! » Pourtant tous multiplient les démarches, mais, avec les heures qui passent, les « amis » se font de plus en plus rares. Bientôt, plus personne ne veut cautionner les tueurs de Darlan. Le 24 décembre, Alfred Pose et le comte de Paris se rendent chez le général Bergeret qui assure l'intérim du pouvoir avec le général Noguès. Dans le bureau du général, le prince ne perd pas son temps en civilités :

« Je suis ici pour me mettre au service de la nation. Je ne viens pas comme un prétendant, mais comme une sorte d'arbitre.

– Vous devez le savoir, Monseigneur, je n'ai aucun pouvoir.

– Il est temps de mettre fin au regrettable différend entre Londres et Alger. La présence de Darlan mettait notre pays dans une situation de quasi-guerre civile. Aujourd'hui, notre devoir c'est l'union et je crois être la personne pour cela. »

Il est difficile de ne pas voir le prétendant derrière

le conciliateur. Bergeret, qui a écouté le prince avec une patience ostensible, tente à nouveau de lui faire entendre ce qu'il a essayé de lui dire quelques instants auparavant :

« Comprenez-moi... il ne m'appartient pas de prendre des décisions. Le vrai pouvoir est entre les mains du général Giraud. C'est lui, constitutionnellement, qui doit assurer la continuité du pouvoir. Dès qu'il sera rentré du front marocain, il a l'intention de convoquer le Conseil d'Empire qui élira le successeur de Darlan.

– Puis-je du moins m'assurer que vous ferez part de mes intentions aux membres du Conseil d'Empire ?

– Bien sûr, Monseigneur. »

Plus que surpris, le général Bergeret est perplexe. Père et ses amis sont d'un autre avis. Ils sont de nouveau optimistes. Le 25 décembre, dans l'après-midi, le général Giraud arrive à Alger. Ce même jour, Fernand Bonnier de la Chapelle est jugé et condamné à mort. Il faut faire vite. Le comte de Paris veut arracher au général un sursis pour Bonnier et le soutien des militaires à sa candidature devant le Conseil. Vers 11 heures du matin, Alfred Pose et papa entrent dans le bureau de Giraud. Immédiatement, père demande la grâce de Bonnier de la Chapelle. Le général Giraud lui répond : « J'ai le regret de vous informer que l'assassin de l'amiral Darlan a été fusillé ce matin ! » Père ne montre rien de la confusion qui l'envahit. Il reprend la parole et répète la proposition qu'il a déjà faite à Bergeret. Giraud refuse. Le comte de Paris argumente. Il plaide pour les valeurs d'union et d'universalité que représente sa personne. Il insiste sur les avantages que présenterait pour la France sa désignation au poste, mais Giraud ne veut rien entendre. Il estime, vu les circonstances et bien qu'il soit monarchiste, que le meilleur service que le prince puisse rendre à la France est de quitter Alger au plus vite : « Monseigneur, il n'est pas possible que vous occupiez ce siège de président, car il est entaché de sang. » Père insiste encore. Le général, de plus en plus las, lui dit : « Tout ce que je peux faire pour vous, c'est de vous faire place dans l'armée. Tenez, je vous donne le grade d'aspirant. » Le prince se cabre, c'est pour lui un véritable affront, un de plus !

Le rêve est fini, tout s'est effondré. Il ne reste rien du brillant complot qui devait faire de papa le chef suprême de la France Libre ! Il n'assistera même pas à la suite de ces événements historiques. Il doit fuir l'Algérie comme un vulgaire malfrat, car la rumeur se répand qu'un commando serait chargé de l'exécuter. Le soir même du 26 décembre, Henri d'Astier déclare à Mario Faivre : « C'est ce que je disais à l'abbé. Voilà de Gaulle débarrassé des deux seuls véritables obstacles à sa venue au pouvoir à Alger. D'abord Darlan, qui se serait refusé jusqu'au bout à lui céder la place. Puis le comte de Paris, qu'il lui aurait été impossible de coiffer hiérarchiquement si notre plan avait pu se réaliser. De Gaulle s'est servi de l'un pour abattre l'autre. Le comte de Paris a fait disparaître Darlan, mais, présent à Alger et mêlé de trop près à l'action, il s'est du même coup lui aussi éliminé. Comme il nous est impossible de révéler la vérité sans trahir les intérêts fondamentaux de l'unité de notre pays et de la lutte contre l'occupant, l'homme de Londres a maintenant la voie libre. »

Quelques jours plus tard, père rentra honteux à Rabat. Il ne quitta pas sa chambre des semaines durant. Plus personne, à la maison, n'osa reparler de ce Noël 1942. Oui, père avait honte. Il n'avait pas honte du meurtre de Darlan, non ! Il avait honte de la façon dont était mort ce gamin d'à peine vingt ans, Fernand Bonnier de la Chapelle. Un gosse, dont ils avaient bourré le crâne, pour en faire un tueur. Un gosse persuadé d'être un héros, un libérateur de la nation, alors qu'il n'était que le jouet de ce que d'autres ne voulaient pas assumer publiquement, pour continuer librement leur ascension vers le pouvoir. Mon père et ces hommes voulaient le beurre et l'argent du beurre. Ce môme a été fusillé. Sa fin fut tragique, avec des larmes et des cris, sans un mot de réconfort. Persuadé d'avoir échoué, il n'eut même pas, le pauvre, le bonheur de croire en l'utilité de son geste.

Mais mon père, par-dessus tout, se sentait humilié. Humilié par le général Giraud, mais aussi par de Gaulle qui l'avait merveilleusement manipulé. Le 23 mai 1943, le général de Gaulle arriva à Alger. Giraud, avant d'être définitivement évincé, fut contraint de partager le pouvoir avec lui. Une fois évincé, Giraud se retira dans sa villa de Mostaganem où l'on tenta de l'assassiner. Craignait-on qu'il en sût trop sur le complot qui avait été fomenté en son nom, et tout particulièrement sur les neuf milliards venus enrichir l'Afrique du Nord ? Lemaigre-Dubreuil, lui, fut assassiné en 1955 sur les marches de sa villa au Maroc. Sa véritable mission fut pourtant une réussite. Les intérêts qui s'étaient investis dans la collaboration furent sauvés par leur ralliement à de Gaulle. Mais peut-être est-ce là le genre de succès dont on ne se relève pas ? L'abbé Pierre-Marie Cordier fut envoyé sur le front de l'Italie avec grade de lieutenant. Son chef, le capitaine Cadol, pris d'amitié pour lui, lui révéla qu'il avait reçu l'instruction secrète de profiter d'un engagement avec l'ennemi pour l'abattre. Mario Faivre rejoignit la clandestinité dans les forces françaises libres. Henri d'Astier prit le commandement d'un détachement spécial au 1er groupe de commandos.

Voilà ce qu'il advint des principaux acteurs de ce grand complot. De ce qui fut le dernier grand rendez-vous que donna l'histoire à mon père. Les autres rendez-vous ne devaient être que de petits ricochets de celui-ci, les échos lointains du train de la gloire qui était passé devant lui sans s'arrêter. Mais ces petits échos, ces ricochets, il fit tout pour les multiplier. Aussi incroyable que cela puisse paraître après une telle défaite, le lendemain du débarquement des troupes alliées en Normandie, le comte de Paris se reprit à espérer. Il considérait, à juste titre, que de Gaulle lui était redevable. N'était-il pas entré dans les secrets de son ascension ? Pour cette raison, je crois, père pensa longtemps qu'il détenait un pouvoir sur le Général. Mais cette quête du pouvoir à tout prix ne pouvait être maintenue que par un aveuglement total face aux réalités sociales. Une quête tragi-comique, presque maladive, qui ne pouvait qu'échouer.

12

Un trop lourd tribut

23 septembre 1997, 15 heures

Je viens de recevoir les conclusions de l'avocat de papa. Aucune surprise. Nous n'avons rien à craindre. Le patrimoine familial est entre de bonnes mains. Père ne pense qu'au bonheur de ses enfants. Il est parfaitement désintéressé et n'est animé que par un juste souci de bonne gestion. Tout irait pour le mieux dans le meilleur des mondes !

En droit pur, nos avocats pensent que nous avons toutes les chances de gagner. Ils craignent pourtant la philosophie bien française de nos juges qui ont tendance, en première instance, à donner systématiquement raison aux parents face aux enfants. Le vieux fonds de droit romain du *pater familias* influencerait les décisions en première instance, c'est ce que démontreraient des statistiques du ministère de la Justice. Je finis à peine de lire les conclusions des hommes de loi de papa que le téléphone sonne. Un autre homme de loi. Un ami cette fois. Jean-Paul Baduel est revenu de Chine. Il a eu le temps de

155

travailler sur les statuts de la fondation. Il est inquiet. Comme je n'ai rien prévu pour le déjeuner, je lui propose de me rejoindre dans une petite pizzeria de mon arrondissement. À peine est-il assis en face de moi que Jean-Paul démarre :

« Le patrimoine de votre famille qui a été placé dans la Fondation Saint-Louis va échapper totalement à votre contrôle. Ce qui représente un peu plus de deux cent cinquante millions de francs, à la mort de votre père ne sera plus jamais votre bien. C'est incroyable, mais ton père et les gens qui l'entourent dans le conseil d'administration de la Fondation Saint-Louis, par petit glissement, de statut en statut, vous ont totalement exclus de cette affaire...

– Tu en es sûr ?

– Lorsque j'ai reçu les derniers statuts, enregistrés le 17 janvier de cette année, j'ai tellement été surpris que j'ai fait sortir les versions précédentes.

– Et alors ?

– Je peux te faire un historique complet si tu veux.

– Ne te gêne pas...

– À l'origine, la Fondation Saint-Louis était la Société civile du domaine de Dreux. Elle fut fondée par l'un de tes grands-oncles en 1886. En 1972, des petits malins ont conseillé à ton père de transformer cette société civile en une association qui, elle-même, pourrait se transformer en fondation. Adieu les impôts sur les sociétés, les revenus, les bénéfices et autres... Je pense que l'intérêt de la chose n'échappa pas à ton père, bien qu'il soit un piètre gestionnaire.

– Mais ce tour de passe-passe était-il légal ?

– Absolument, la Société civile de Dreux avait pour but la bonne gestion et l'entretien d'un certain nombre de monuments d'intérêt historique. Sa transformation en association puis en fondation ne posa aucun problème. D'ailleurs, la Fondation Saint-Louis a été reconnue d'utilité publique le 28 juin 1973. Il faut savoir que la Société civile de Dreux, puis la Fondation Saint-Louis ne se contentent pas de posséder quelques monuments, dont la chapelle royale de Dreux où les membres de votre famille sont enterrés depuis Louis-Philippe, la Fondation Saint-Louis détient également des biens mobiliers et immobiliers d'une très grande valeur. Comme, par exemple, le château d'Amboise et son parc, plusieurs appartements, trois maisons à Dreux et deux boutiques. Ce n'est pas tout, car la Fondation possède aussi un immeuble au 102 de la rue de Miromesnil, d'une valeur de quarante-cinq millions de francs, de même un immeuble dans l'avenue Charles-de-Gaulle à Neuilly d'une valeur de trente millions de francs. La Fondation a aussi reçu de la Société civile de Dreux un important portefeuille de titres et de comptes à court terme d'environ sept millions. L'inventaire des trésors continue, car la Fondation détient un mobilier impressionnant d'une valeur d'environ dix millions de francs, auquel il faut ajouter un album de soixante-dix dessins à la sanguine réalisés par Louis XIV d'une valeur de dix millions de francs, un ensemble de tableaux de maîtres représentant notamment Louis XIII, Henri IV, et Louis-Philippe, estimé globalement à cinq millions, un manuscrit des statuts de l'ordre de Saint-Michel estimé à dix millions, le pendentif de l'ordre de Saint-Michel réalisé par Benvenuto Cellini, le plus grand orfèvre de la Renaissance, deux colliers du Saint-Esprit et le collier de l'ordre de la Jarretière, décorations que l'on peut estimer à deux millions de francs. Sans trop se tromper, la valeur des biens de votre patrimoine remis à la Fondation Saint-Louis est au minimum de cent quarante millions de francs. Si tu ajoutes à ça l'exploitation, commercialement juteuse, du château d'Amboise et de celui de Bourbon-l'Archambault, de même le petit fleuve des subventions, diverses et annuelles, versées par les ministres et amis bienveillants, on peut considérer que la Fondation Saint-Louis est une très bonne affaire. Une bonne affaire qui fit partie de votre patrimoine jusqu'en 1973, sur laquelle vous aviez le contrôle jusqu'en 1996... Mais dans laquelle vous n'êtes plus rien depuis le 17 janvier 1997. Car, à la mort de votre père, aucun membre de votre famille ne siégera au conseil d'administration. Henri, votre frère aîné, n'y sera accepté qu'au titre de président d'honneur et sans aucun pouvoir, ni bénéfice.

– Incroyable ! Je savais que père nous avait éliminés du conseil d'administration au début des années quatre-vingt et sans aucune procédure légale, mais je ne pensais pas que les choses étaient allées aussi loin. C'est notre histoire qu'on nous arrache ! Je ne peux pas l'accepter. On doit pouvoir faire quelque chose.

– Sans doute... Mais il faudrait que tes frères et

sœurs soient d'accord. Car cela signifie d'autres procès et, je le crains, un autre scandale. »

À peine rentré à mon domicile, j'ai appelé M.,
l'un des anciens administrateurs de la Fondation
Saint-Louis. M. est un homme parfaitement intègre
dont mon père a largement profité avant de le jeter
hors de la fondation comme un malpropre. Il ne se
fait pas prier. À ses yeux, le comportement de mon
père est tout simplement scandaleux. Il a assisté,
avec tristesse et impuissance, au long processus de
l'exclusion de ses enfants : « Cher Jacques, vous
connaissez mon âge, je pourrais être votre père, j'ai
d'ailleurs une fille qui est née la même année que
vous, ceci pour vous dire qu'il m'est douloureux de
dépeindre la réalité. Votre père me donnait le sentiment de haïr ses enfants. Toutes ces dernières
années, où je l'ai côtoyé presque quotidiennement,
et malheureusement plus que votre mère et les
membres de sa famille, je l'ai entendu dire de telles
horreurs sur vous qu'un moment je me suis interrogé sur ce que vous aviez bien pu lui faire. Finalement, j'ai compris qu'il vous reprochait, tout simplement, d'être vivants. Le comte de Paris ne
supportait pas l'idée que son fils puisse lui succé-
der... et encore moins à la tête de la Fondation Saint-
Louis. À la Fondation Saint-Louis, personne n'a
essayé de lui faire entendre raison. Vous savez, c'est
une grosse affaire ! »

Ces mots, ces phrases me font mal. Leur sens ne
me surprend pas, il confirme la vision que je me fais
de papa. Jean-Paul Baduel a souligné autre chose
lors de notre rencontre, une chose à laquelle je

159

n'avais pas prêté attention : les personnes qui composent le conseil d'administration de la Fondation
Saint-Louis ne sont pas des personnalités neutres ;
il y a notamment André Damien, l'ancien maire de
Versailles, le maire d'Amboise, mais aussi le ministre
de la Culture et le directeur des Monuments historiques, une série d'avocats et de notaires qui se char-
gent, par ailleurs, des affaires de papa.

14 octobre 1997, 23 h 45

Mes frères et sœurs sont intrigués par cette situation de la fondation. Henri me dit qu'il était au
courant. Il n'a pas l'air de prendre la mesure des
choses. Les autres estiment que, pour l'instant, vu
les risques de médiatisation d'une telle affaire et
le mal que cela pourrait faire à maman, il serait
préférable d'attendre. Il est vrai que la partie que
nous jouons sur leur contrat de mariage est à peine
entamée. Nous devons être prudents, il ne servirait
à rien que l'on nous prenne pour des enragés. Ils
ont sans doute raison... Nous avancerons pas à pas,
doucement, mais nous ne reculerons pas ! Nous
avons tous payé un trop lourd tribut à notre père.
Un tribut pour nous acquitter du simple fait d'être
en vie. Car, avec papa, rien n'est gratuit. Pour les
garçons comme pour les filles, c'est donnant
donnant. Même ma sœur Claude en sait quelque
chose.

Claude Marie Agnès Catherine d'Orléans, princesse de France, Claude de France, fille de France,

160

est née le 11 décembre 1943 chez la duchesse de Guise à Larache (Maroc). Ondoyée, comme nous tous, à sa naissance, elle fut baptisée le 6 janvier 1944 en l'église de Larache. Le premier mariage de Claude fut grandiose. Elle épousa, le 22 juillet 1964, en l'église São Pedro de Penaferrin à Sintra, S.A.R. Amedeo Umberto Constantino Giorgio Paolo Elena Maria Fiorenzo de Savoie-Aoste, duc d'Aoste, prince de Savoie. Claude fut réellement heureuse avec Amedeo, mais le caractère très latin du duc d'Aoste, aussi agréable fût-il, avait certains désavantages. Doucement leur relation s'est envenimée. Le 20 juillet 1976, la conclusion, inévitable, de cette « incompréhension » fut enregistrée par le tribunal de Florence qui prononça leur divorce.

Claude ne resta pas longtemps seule. À la grande fureur de papa, elle se lia à Arnaldo la Canigna, un homme de quatorze ans son aîné, qui vivait dans son château près de Florence. Elle épousa civilement Arnaldo le 27 avril 1982 devant le juge de paix de la section sud de Port-au-Prince (Haïti). Père ne supporta pas cette idylle. Il fit tout pour décourager Claude : menaces, insultes, pressions, culpabilisations habituelles n'eurent aucun résultat. Claude se sentait une femme libérée et les biens que lui avait laissés son ancien mari la rendaient indépendante. Père enrageait d'autant plus que des âmes bien intentionnées vinrent l'informer que ce fameux Arnaldo en était à son troisième mariage. Mais le rêve se transforma en cauchemar et père obtint sa vengeance. Le jeune couple aimait les voyages et les belles demeures. Sans vouloir être injurieux, je crois que l'on peut dire que Arnaldo vivait un peu au-dessus de ses moyens. Il entraîna Claude dans une bourrasque de folies. Leur vie se partageait entre un pied-à-terre à Paris, le coûteux château de Florence, une grande maison qu'ils avaient achetée à Colebrook, dans le Connecticut, et un immense appartement à New York. Comme l'on ne vit pas que d'amour et d'eau fraîche, Arnaldo se lança dans les affaires. Nécessité fait loi. Pour commencer, ils créèrent une maison d'édition d'art. Puis, en 1992, ils ouvrirent un restaurant à Bruxelles, avenue Louise, le Brook's Bar. L'établissement devint vite un endroit à la mode et le point de rendez-vous des fonctionnaires européens. Malheureusement, la gestion n'était vraiment pas le fort du couple, haut en couleurs. L'affaire périclita en 1994. Tout de suite après, ils se séparèrent. Et Claude, gérante, dut assumer seule les dettes du restaurant. Elle fut obligée de faire appel à papa, qui fut assez heureux de jouer au seigneur magnanime et de permettre à sa fille d'échapper à la honte des tribunaux.

Comme d'habitude avec papa, ce fut donnant donnant. En contrepartie des liquidités qu'il déboursa pour sauver sa fille des geôles belges, il demanda à Claude qu'elle lui cède les magnifiques bijoux que lui avait offerts son premier mari, le duc d'Aoste. Papa prit les « cailloux » et les mit en vente pour se rembourser grassement de son prêt. Une belle leçon, bien humiliante, qu'il aima, j'en suis sûr, infliger à Claude. Aussi étonnant que cela puisse paraître, Claude, aujourd'hui comme hier, continue

162

de soutenir papa. Avec Henri, Chantal et Anne, ils forment une sorte de coalition autour de lui, décidés à le soutenir envers et contre tout. Pourtant, nul n'ignore quelles souffrances furent les leurs. J'espère qu'un jour ils oseront en parler.

13

Manipulé par de Gaulle

17 octobre 1997, 19 heures

Ce matin, la première chambre du tribunal de grande instance de Paris a rendu son jugement. Le changement de régime matrimonial de mes parents est accepté. Ils sont admis au régime de la communauté universelle. Père a désormais accès aux biens de maman. Nous avions craint une telle décision, maintenant elle est là. Le tribunal s'est laissé attendrir par le regard bleu et peiné du comte de Paris. Son numéro de père bafoué par ses propres enfants l'a emporté sur ce qui nous semble être le droit et la justice. Mes frères et sœurs ont eu la même réaction d'écœurement. Nous n'en resterons pas là. J'ai immédiatement demandé à mon conseil, Paul Lombard, de faire appel de cette décision. L'aspect symbolique de cette procédure est de plus en plus fort. Nous voulons être entendus. Nous ne voulons plus payer à notre père le tribut de la soumission aveugle. Nos droits à faire respecter le patrimoine familial doivent être pris en compte.

Après une rapide conversation téléphonique, trois de mes sœurs et mon frère Michel m'ont donné leur pouvoir pour lancer ce nouveau volet de notre action en justice. L'une de mes sœurs, juste avant de raccrocher, m'a dit ces quelques mots : « Au moins nous pouvons encore nous battre. » Sur le coup je n'ai pas très bien compris cette phrase. Puis, le souvenir de Thibaut m'est revenu en mémoire.

J'avais pour mon frère Thibaut une affection particulière. Nous étions très proches l'un de l'autre. Thibaut était un pur, un être d'exception. Notre père nous a inculqué le sentiment d'une dette incommensurable que nous aurions à son égard. Mais, pour Thibaut, le plus jeune d'entre nous, cette dette était bien trop lourde. Un enfant ne peut pas éternellement rejeter la responsabilité de ses actes sur ses parents. Pour notre frère, mort dans des conditions affreuses en Afrique, les échecs de sa vie furent largement à mettre au crédit des relations que père entretenait avec lui. Thibaut ne savait pas qui il était. Cela crevait les yeux ! Sa courte vie ne fut qu'une longue et pénible recherche de lui-même. Combien de fois s'est-il tourné vers papa, espérant une reconnaissance, un geste qui l'aiderait à vivre. À chaque fois père le rejetait, l'insultait et le rabaissait. Il était le plus jeune, il fut le plus faible.

Thibaut Louis Humbert Marie d'Orléans, prince Thibaut de France, fils de France, titré comte de la Marche par collation de Monseigneur le comte de Paris du 10 décembre 1976, est le souvenir le plus douloureux de notre famille. Il est né le 20 janvier 1948 à la Quinta do Anjinho. Ondoyé à sa naissance, il fut baptisé en février 1948 dans la chapelle de notre propriété. « P'tit Beau », comme nous l'appelions, est mort le 23 mars 1983 à 9 heures, au camp de chasse de Bamingui, à quatre cent cinquante kilomètres au nord-ouest de Bangui (république de Centrafrique). Celui que les médias ont brocardé comme un piètre élève d'Arsène Lupin est un peu notre mauvaise conscience. Nous aurions dû l'aimer davantage. Nous aurions dû lui dire... Quand je pense à lui, c'est son visage rond d'enfant un peu taciturne qui me revient en mémoire. Lorsqu'il était petit, nous étions déjà des adolescents. Pour nous, il incarnait la huitième plaie d'Égypte. Incapable de nous suivre, mais toujours dans nos jambes, nous devions le traîner partout. Souvent, notre bande de gamins, grâce à des mouvements bien orchestrés et afin que nul ne puisse être accusé, faisait en sorte de le perdre. Nous disparaissions, sans un bruit, fantomatiques, laissant le personnel accourir aux cris de notre P'tit Beau en larmes. À rebours, notre mère couvait son petit ange et multipliait à son égard les marques d'attention et d'amour. Ce petit dernier, nous le jalousions férocement car nous étions exclus de toutes ces caresses et de ces bisous.

La pire période du comte de Paris fut, sans aucun doute, celle des années soixante. Les illusions de notre père, plus que jamais attisées par ses lieutenants, tournaient à l'obsession. Du jeune prétendant des années trente, plein d'espoir et d'avenir, il ne restait qu'un prétendant d'âge mûr et quelque peu marqué. Un homme à qui la politique n'avait pas réussi et qui s'évertuait déjà à réécrire sa vie pour transformer ses échecs cuisants en instantanés historiques, où il aurait servi la France avec courage. En 1962, Thibaut avait quatorze ans et ce jeune adolescent, véritable promesse d'avenir, était insupportable à notre père. Lui qui ne vivait déjà plus que tourné vers le passé, dégoûté par le présent, que l'avenir effrayait, voyait son dernier fils se nourrir et jouir de tout ce que cette fin de siècle faisait éclore : les modes, la musique, les mœurs, autant de signes, à ses yeux, d'une décadence universelle qu'il condamnait et qu'il espérait encore pouvoir combattre.

Cette année 1962 fut aussi celle de la dernière grande chimère de papa. Le 28 septembre, le principe de l'élection du président de la République au suffrage universel fut massivement approuvé lors d'un référendum. Le général de Gaulle donnait à la France les institutions qui allaient enfin lui assurer la stabilité politique. Père envisagea alors sérieusement que le trône puisse légitimement lui revenir par les urnes. Un espoir dans lequel, habilement, l'entretenait de Gaulle. Comme chacun sait, mon père avait une correspondance régulière avec le Général, celle-ci s'étant accélérée depuis l'abrogation de la loi d'exil en 1950. Le comte de Paris n'était pas entièrement convaincu par les qualités du grand Charles. En 1947, il avait publiquement attaqué le Général qui venait de créer le RPF. Plus tard, le sujet de l'Algérie et de son indépendance les divisa profondément. Les premières positions de papa étaient violemment Algérie française, ce qui gênait considérablement la politique du Général. Aujourd'hui, il est difficile de le comprendre car le mouvement monarchiste est réduit à une clique de groupuscules divisés, mais, dans les années cinquante, les royalistes étaient encore nombreux, notamment dans l'armée, la police, la grande bourgeoisie et, bien évidemment, à la direction des grands corps de l'État. Mon père éditait un bulletin lu par plus de soixante-quinze mille personnes. Ce qui, en termes d'édition de l'époque, correspondait à un gros tirage.

La première rencontre entre papa et de Gaulle eut lieu à Londres, en grand secret, le 13 juillet 1954. « J'ai attendu le prince à Londres avec une grande impatience... », écrivit plus tard le Général dans ses Mémoires. Il ne voulait pas voir le comte de Paris soutenir ceux qui allaient bientôt former l'OAS. Les rencontres se multiplièrent. Et, en 1958, le comte de Paris se rallia au chef de la France libre et appela à voter pour lui. Lorsqu'il prit ses fonctions de président de la République, le 8 janvier 1959, le Général reçut à nouveau le soutien public du comte de Paris pour sa réforme constitutionnelle et sa politique algérienne. En échange, il multiplia les œillades complices au rêve de restauration monarchique de notre père. En 1957, pour le mariage d'Henri, il avait adressé un curieux message au comte de Paris : « Parce que la vie de votre famille s'identifie avec notre histoire, parce que ce qui vient de vous dans le présent est exemplaire dans le pays, parce que votre avenir, celui du prince Henri, celui des vôtres sont intégrés aux espérances de la France, je salue l'union que Dieu va bénir comme un grand événement national... »

Le 16 octobre 1958, le Général fit un autre signe, lourd de sens aux yeux des « intégristes » du protocole. À l'issue de la messe solennelle célébrée à Notre-Dame de Paris pour le repos de l'âme de S.S. Pie XII, le général de Gaulle, en quittant la nef où il était assis aux côtés du président René Coty, se retrouva face au comte de Paris. Le Général, s'arrêtant devant papa, s'inclina ostensiblement devant lui.

En 1959, alors que papa avait retourné sa veste sur la question de l'indépendance de l'Algérie, il fit parvenir au Général une note faisant le point sur sa nouvelle position. De Gaulle lui répondit et en profita pour enflammer un peu plus les rêves du prétendant :

« Le général de Gaulle

25 mai 1959

Monseigneur,

Je vous suis reconnaissant de m'avoir adressé votre lettre et la note qui y était jointe au sujet de l'affaire algérienne. Permettez-moi de vous dire que votre intention de vous associer d'une manière plus directe à la haute politique de la France me paraît très noblement justifiée et qu'elle rencontre mes propres désirs.

Déjà votre présence, votre attitude et votre

action sur le cœur et les intelligences constituent, au cours de ces années, un service de grand poids rendu par vous à notre pays. L'objet et la forme d'un développement de votre activité nationale et internationale, en particulier en ce qui concerne la mission de la France en Afrique, doivent sans nul doute être envisagés et étudiés.

Je vous demande, Monseigneur, de m'accorder à cet égard le crédit de votre confiance et le choix de l'occasion.

Je vous prie d'agréer, Monseigneur, l'hommage de mes très dévoués sentiments.

Signé C. de Gaulle »

En 1962, alors que se préparaient les accords d'Évian, papa enfonça le clou. À la une de son *Bulletin,* on put lire le fameux : « De Gaulle a raison ». À la fin de l'année, alors que la crise algérienne commençait à se calmer, de Gaulle envisageait de se retirer à la fin de son mandat, soit en 1965. Père le sut. C'était pour lui un message. Le Général, lors de son discours du 11 avril 1961, n'avait-il pas déclaré : « Il faudra un chef de l'État en dehors des partis et qui ne soit pas lié à une majorité parlementaire. Il faudra qu'il puisse donner des grandes options, être un arbitre, mais surtout exprimer les grandes orientations. » Père crut fermement que le Général allait lui déplier le tapis rouge, les urnes devant suivre. Cela ne pouvait être autrement ! L'idée peut paraître étrange, mais certains se souvenaient encore du triomphe électoral du prince

171

Louis-Napoléon Bonaparte en 1848. Le 18 décembre 1962, lors d'un entretien, le Général déclara à papa : « Vous avez trois ans pour vous préparer. » Cette petite phrase finit de mettre le feu aux poudres. Le comte de Paris se méprit sur la volonté réelle du général de Gaulle de restaurer la monarchie.

L'entretien du 18 décembre 1962 avait eu lieu à la demande de papa. Il venait réclamer son dû, ce qu'il pensait que le général de Gaulle lui avait promis, son soutien ! Lorsque le comte de Paris expliqua à l'homme de la France Libre son projet de se présenter aux élections de 1965, le géant, dans son bureau élyséen, dut être un peu gêné. Il ne pouvait lui apporter son soutien, du moins sous une forme directe et immédiate, et cette phrase : « Vous avez trois ans pour vous préparer... », pouvait se lire d'une tout autre manière. Elle pouvait vouloir dire : « Dans trois ans, nous ferons le point et nous constaterons ce que votre nom signifiera pour les Français et si une véritable popularité s'attache à vos projets. En clair, si l'on peut vous soutenir comme candidat sans risquer un affront... » C'est Alain Peyrefitte [1] qui se fit l'écho de la réalité des sentiments du Général. Il les lui avait confiés : « Je l'ai entouré d'égards parce qu'il récapitule dans sa personne les quarante rois qui ont fait la France ; et parce que la partie en valait la peine ; et aussi parce que la personne même du prince mérite considération... » On imagine bien

_____

1. Dans son livre *C'était de Gaulle*, tome 1, Éditions de Fallois/ Fayard, 1994.

172

que la partie dont il s'agissait était celle qui se jouait en Algérie ! Pour le reste...

En 1963, papa, toujours sous l'influence de ses illusions, retourna voir le Général à l'Élysée. Le comte de Paris avait besoin d'un geste, plus précisément d'un soutien matériel pour sa future campagne. En vérité, de Gaulle avait déjà décidé qu'il se représenterait, mais il ne voulut pas décevoir immédiatement ce prince si enthousiaste. Aussi, il promit au prétendant la présidence de la Croix-Rouge, que ce dernier était venu quémander et qui devait bientôt se libérer. Il n'en fit rien. Quelques mois plus tard, père renouvela sa demande par écrit. De Gaulle lui répondit, sans détour, qu'il n'entendait pas le nommer à la présidence de la Croix-Rouge. Le rêve s'effondrait. À un proche qui l'interrogeait sur la candidature du prince, le Général répondit : « Le comte de Paris ? Pourquoi pas la reine des gitans !... »

De cet ultime espoir brisé, père ne devait jamais se relever. Son âme ne fut plus qu'un champ de ruines où trois dates historiques, 1934, 1942, 1965, devinrent les soleils noirs de sa mémoire. L'élection présidentielle de décembre 1965 mit de Gaulle en ballottage. Il ne l'emporta qu'au second tour face à François Mitterrand. Le 18 janvier 1967, le comte de Paris cessa la publication de son *Bulletin.* Alors, commença une longue et lente autodestruction.

Thibaut avait dix-huit ans, mon père et lui n'avaient plus aucune chance de se rencontrer. Lorsqu'en mai 68, notre frère monta sur les barricades, le comte de Paris réagit à peine par quelques insultes prononcées en famille. Papa nous considérait comme des instruments, parmi d'autres, au service de sa grande quête politique. Cette quête devenant lettre morte, la famille pouvait suivre le même chemin... en silence !

14

La tradition
comme une arme de mort

20 janvier 1998, 16 h 02

Presque chaque jour depuis la fin du mois d'octobre, j'ouvre ce cahier pour raconter le P'tit Beau, mais je n'arrive pas à écrire un mot. Aujourd'hui, Thibaut aurait quarante-neuf ans. Aujourd'hui, ce serait son anniversaire. Si je ne le fais pas aujourd'hui, ce sera jamais. Je n'arrive pas à imaginer quel homme d'âge mûr il serait devenu. En mai 68, il portait la moustache. Père trouvait cela ridicule et vulgaire. Thibaut la laissait pousser, genre guérillero. Papa la portait finement dessinée, et impeccablement brossée et taillée. « Attention, deux moustaches en guerre dans le salon », avait osé ironiser l'une de nos sœurs un soir où papa et Thibaut s'apostrophaient violemment.

Comme on pouvait s'y attendre, notre jeune frère se maria sans le consentement de papa. Il annonça, par le carnet mondain du *Figaro*, la date de son mariage : « On nous prie d'annoncer que le 23 septembre 1973 sera célébré dans l'intimité à Édim-

175

bourg, le mariage de S.A.R. le prince Thibaut d'Orléans, prince de France, avec Mlle Marion Gordon-
Orr. Le consentement sera reçu par son Éminence
le cardinal Gordon J. Gray, archevêque de Saint-
Andrew et d'Édimbourg. » Père, comme à son habitude, ne perdit pas de temps. Le jour même du
mariage, le secrétariat du comte de Paris fit publier,
par l'Agence France-Presse, un communiqué : « Le
23 septembre, en la chapelle privée de l'archevêque
d'Édimbourg (Écosse), sera célébré le mariage du
prince Thibaut d'Orléans, dernier fils du comte de
Paris, avec Mlle Marion Gordon-Orr. Le comte de
Paris et la comtesse de Paris n'assisteront pas à la
cérémonie. » Père était furieux, il revivait le cauchemar dans lequel Michel l'avait déjà plongé et en
pire. Marion était de sept ans l'aînée de Thibaut et,
mon Dieu, quelle horreur, c'était une roturière !
Papa ne prit pas conscience à quel point ces consi-
dérations étaient ridicules, alors que les années
soixante-dix célébraient, dans l'enthousiasme général, la révolution sexuelle. Interrogé par un journaliste quelque peu moqueur, le secrétariat de papa
répondit : « Le comte de Paris n'a pas à être "pour"
ou "contre" le mariage de son fils dans la mesure
où celui-ci est majeur et a le droit de se marier
comme il l'entend. Mais il est certain que, sur le
plan familial, le prince pouvait espérer un autre
mariage pour son fils et qu'en conséquence il
n'approuve pas celui-ci. »

Les remontrances de papa furent sans effet. Plusieurs membres de la famille de France se rendirent
au mariage, dont ma sœur la princesse Claude, mais

aussi le vicomte Raoul de la Panouse, le comte Robert de Bourbon-Busset, témoins du marié, le comte Charles-Emmanuel de la Rochefoucault-Montbel... Si ce n'était pas un mariage royal, c'était au moins un mariage d'amour, auquel assistèrent de nobles amis. L'union de Marion et de Thibaut, assez rapidement, donna naissance à Robert Benoît Paul Henri James Marie d'Orléans, né le 6 septembre 1976 à Édimbourg. À l'annonce de cet heureux événement, la presse se précipita en Écosse. En France, la famille, et plus encore maman, se réjouissait à l'idée de connaître le bébé. Père devait se rendre à l'évidence : il n'était plus possible de maintenir Thibaut hors de la famille. Le 10 décembre, le comte de Paris fit savoir officiellement qu'il pardonnait à son fils. Mais ce pardon ne fut que de façade, il n'attendait qu'une occasion pour le faire savoir. Et l'occasion vint de la manière la plus tragique.

Thibaut fut papa pour la deuxième fois avec Louis-Philippe Albert François Marie d'Orléans, qui naquit le 18 avril 1979 à Édimbourg, mais le 2 janvier 1980 cet enfant, source de joie, fut pris de convulsions. Sa fièvre monta dangereusement en quelques heures. Une ambulance vint le chercher à la ferme des Vignettes, où il résidait avec ses parents. Louis-Philippe décéda avant même d'arriver à l'hôpital. La mort de ce petit bonhomme, alors qu'il n'avait même pas un an, plongea Thibaut et Marion dans cette douleur que l'on sait sans fin. Le soir même du 2 janvier, Thibaut téléphona à son père qui se trouvait en vacances en Suisse. La conversation qu'ils eurent, je la connais malheureusement trop bien, mon frère me la rapporta en détail, pleurant et criant de douleur :

« Bonjour père. Je dois vous annoncer une terrible nouvelle.

– Quoi encore ?

– Louis-Philippe est mort aujourd'hui, d'une méningite.

– Mon Dieu ! Je suis désolé pour toi et ta femme.

– Il va falloir s'occuper de l'enterrement. Que dois-je faire ? Voulez-vous que je prépare les choses avec le conservateur de la chapelle royale ?

– Non ! Je vais m'en occuper moi-même. Mais cela devra attendre mon retour.

– Comment ça ?

– Oui, je viens juste d'arriver en Suisse. Cela peut tout de même attendre un peu ! Tu ne veux tout de même pas que j'annule mon séjour ?

– Mais...

– Je serai de retour le 20 janvier, nous pourrons faire cet enterrement, euh... disons le 22... si cela te convient !

– ...

– Le petit, vous n'avez qu'à le mettre dans un lieu approprié. Que l'enterrement se fasse vingt jours après le décès ne choquera personne. Comme ça tout le monde pourra se libérer. C'est même mieux. »

Peu de temps avant l'enterrement, un soir mon frère me rendit visite. Le comportement de notre père, le fait de mettre son bébé dans une chapelle de la famille de la Panouse, tout cela l'avait anéanti. Et puis la galerie d'art qu'il venait d'ouvrir à Saint-

178

Germain-des-Prés était au bord de la faillite, ce qui n'arrangeait rien. Il pleurait, se taisait, puis se lançait dans de longs discours sur papa et la famille. Ivre de haine, il pleurait à nouveau, et se taisait. Ce soir-là, incapable de soulager Thibaut, je compris une chose essentielle : père maniait le pouvoir et les traditions dans le seul but de soumettre et d'assouvir son désir de vengeance. Je crois que c'était le début de cette espèce de folie dont nous voyons aujourd'hui s'achever la course pathétique. Tout être humain possède sa dose de folie, personne ne l'ignore, mais notre père, mis en échec systématiquement sur les objectifs qui donnaient un sens à sa vie et qui furent le socle de son identité et de son éducation, entouré toujours et encore d'individus qui continuaient de diviniser le pseudo-monarque qu'il ne serait jamais, notre père, donc, ne pouvait que sombrer dans la haine de nous tous et l'irrationnel. La haine et l'irrationnel pour un homme comme notre père, pour ce prétendant, ce roi sans couronne, ce fut d'incarner strictement l'inverse de ce qu'il avait prétendu incarner jusqu'alors. Notre famille, le sens de la royauté, c'est la continuité d'un ensemble de valeurs que sert une tradition. Père, insidieusement, utilise la tradition familiale comme une arme au service d'un suicide qu'il veut étendre à nous tous. Car son but final, j'en suis persuadé, est de nous détruire. Ainsi il mettrait fin, avec nous, à ce rêve impossible de restauration qu'il identifie comme l'élément constituant de notre famille et la source de sa douleur, de sa honte et de sa misère existentielle. En nous détruisant moralement, en faisant disparaître notre patrimoine, c'est la continuité de notre mission qu'il tente d'hypothéquer.

Car, par-dessus tout il ne supporte pas l'idée qu'un autre, un jour, puisse réussir là où il a échoué. Ceci a commencé avec Michel, s'est amplifié avec Thibaut et se change aujourd'hui en une sorte de raz de marée destructeur. Dans les mains de papa, la tradition, qu'il brandit à la manière des prêtres intégristes, devient une arme de mort alors que la tradition est une arme de vie. Une tradition n'existe pas par elle-même, ni hors du temps, ni hors des réalités. La tradition est au service de valeurs, on peut même affirmer que la tradition, dans notre cas, a comme fonction d'exprimer des valeurs éternelles et de les rendre palpables et actives dans la société. Les traditions se doivent donc d'évoluer, pour être capables d'incarner les valeurs éternelles de l'humanité pour les hommes du présent. Des traditions que l'on ne comprend plus, que l'on répète en brave perroquet, sans en ressentir le sens, sont des traditions obsolètes. Elles ne remplissent plus leur rôle de transmission des valeurs. Celui qui croit que les traditions ne doivent pas évoluer est un imbécile, car il ignore que la tradition n'est qu'une expression momentanée de l'éternel. Ceux qui, comme mon père, brandissent la tradition comme une règle inamovible, condamnant le monde extérieur qui ne la comprend plus et s'en détourne, est un idolâtre et commet un crime contre l'esprit. Le coupable n'est pas celui qui ne comprend pas, mais celui qui ne se fait pas comprendre.

Le mariage et les traditions construites autour de

l'union d'un homme et d'une femme sont les réponses données à des mœurs et à une culture particulière pour faire régner certaines valeurs. Si les mœurs et les cultures évoluent, les traditions doivent évoluer elles aussi, pour rester en phase avec les contemporains et pouvoir ainsi leur communiquer les valeurs qu'elles souhaitent faire partager. Rester accroché à des traditions du passé, alors que la société a évolué, c'est s'empêcher de communiquer les valeurs que l'on défend et même les nier. Surtout si ces valeurs sont judéo-chrétiennes et défendent l'amour de son prochain. Car des traditions maintenues par l'autoritarisme, dans un temps où elles ne fonctionnent plus, deviennent des outils d'oppression. L'oppression est bien le but unique des intégristes, et malheureusement c'est là le but unique et dément de notre père aujourd'hui.

L'enterrement à la chapelle royale de Dreux du petit Louis-Philippe fut une horreur. Dans la crypte de cette chapelle reposent les membres de notre famille depuis le roi Louis-Philippe. L'endroit est solennel et lugubre. C'est là que fut enterré le duc de Guise, c'est là que repose mon frère François. Ce jour-là, toute la morbidité dont est capable papa s'étala au grand jour. Toute ma vie je reverrai ce petit cercueil, mon frère Thibaut tétanisé, incapable de dire un mot, et mon père qui nous réservait une de ses surprises dont il a le secret. À la fin de la messe, quel ne fut pas notre étonnement de voir le cortège prendre une autre direction que la crypte. Nous dûmes accompagner le petit cercueil à l'extérieur, dans une autre crypte face à une tombe fraî-

181

chement ouverte qui devait recevoir le fils de Thibaut. Le comte de Paris, enfermé dans sa logique pseudo-traditionnelle, avait décidé que le fils de son fils, né d'un mariage non autorisé par lui-même, n'était pas dynaste et ne pouvait recevoir l'honneur d'être enterré dans la crypte familiale. Marion et Thibaut avaient dû attendre vingt jours pour donner une sépulture à leur fils et se voir ainsi humiliés en public. Thibaut était un être intelligent, sensible et fragile, cette expérience lui fut fatale.

11 février 1998, 13 h 45

Avec la mort de leur fils, la descente en enfer de Marion et Thibaut aurait pu s'arrêter. Malheureusement, le destin allait s'acharner. Dans les semaines et les mois qui suivirent, Thibaut essaya de se battre et de faire face, mais quelque chose s'était brisé. Je le voyais le plus possible et l'invitais régulièrement à la maison. Nous avions de longues conversations, je le conseillais, j'essayais de lui redonner espoir... Lorsque, en avril 1980, Marion me téléphona pour me dire que la police recherchait mon jeune frère, cela ne m'étonna guère. Je pressentais une catastrophe de ce genre. Dans l'état où il était et vu les qualités douteuses de certaines de ses relations, je savais qu'il pouvait être embarqué dans n'importe quelle aventure.

Les jours passèrent et bientôt j'appris les faits. L'un de mes amis me fit parvenir un rapport de police. Sur ces quelques pages dactylographiées,

était décrit le piètre forfait auquel mon frère était
mêlé.

Le 30 mars, peu avant 21 h 30, le directeur d'une
société de sécurité par télésurveillance de Tarbes
avait alerté le commissariat central de la ville.
L'alarme d'une riche villa s'était déclenchée. Une
voiture de patrouille fut immédiatement envoyée
sur place. Après avoir ouvert le portail et constaté
l'absence de la propriétaire, les policiers débouchè-
rent sur la façade de la villa sans découvrir personne.
Traversant le jardin, ils surprirent deux hommes,
dont l'un commençait déjà à escalader le mur. Après
une courte empoignade, les deux hommes se sou-
mirent aux injonctions des policiers. Ils étaient
démunis de pièces d'identité. Dans un premier
temps, les deux hommes refusèrent de s'expliquer,
mais au fil des heures et de leur garde à vue, ils
craquèrent. Le premier s'appelait Henri S. Au
moment des faits, il avait trente-huit ans et la police
le recherchait. Il avait profité d'une permission tem-
poraire de sortie de prison pour disparaître dans la
nature. Le second était Jacques P., lui aussi âgé de
trente-huit ans. Bientôt les policiers découvrirent
que ce dernier était le gérant d'une société dont le
directeur n'était autre que Thibaut d'Orléans, fils
du comte de Paris. Ils constatèrent aussi que cette
société était au bord du gouffre. Jacques P. expliqua
aux enquêteurs qu'ils avaient besoin d'urgence de
cent cinquante mille francs pour sauver l'entreprise.
La propriétaire de la villa déclara aux policiers
qu'elle avait rencontré Thibaut d'Orléans par un
tiers. Celui-ci s'était rendu à son domicile pour esti-

mer une collection d'objets d'art précolombien. Elle l'avait reçu à déjeuner et il avait pu ainsi constater qu'elle possédait des tableaux et un grand nombre de pièces de grande valeur. À ce stade, le magistrat instructeur ne put procéder autrement qu'en faisant rechercher notre frère pour l'arrêter.

Le 26 avril 1980, Thibaut se présenta volontairement devant le juge. Il fut immédiatement inculpé et écroué pour complicité de tentative de vol. Thibaut était un être pacifique et généreux, un garçon d'un autre âge. Lorsqu'il offrait son amitié à quelqu'un, elle n'avait pas de prix car sa fidélité pouvait aller jusqu'à la mort. Il était facile de se jouer de lui si on le prenait par les sentiments, et c'est bien ce qui s'était passé. Les hommes qui l'entouraient l'avaient manipulé.

Lorsque père prit connaissance des faits, il s'inquiéta, en tout premier lieu, de l'effroyable publicité qui allait être faite à la famille. Si Thibaut n'avait pas eu Marion et de très bons amis, il n'aurait reçu aucun soutien. Je crois même qu'il aurait définitivement sombré dans la dépression et peut-être dans la folie. Lors de sa déposition devant le juge d'instruction, Marion exprima son écœurement pour le comte de Paris. Elle raconta avec beaucoup de pudeur la souffrance de Thibaut rejeté par son père : « Il a eu beaucoup de mal à me faire accepter par sa famille. Non pas pour mon niveau social, puisque je suis d'origine bourgeoise, mais tout simplement parce que je n'avais pas de particule. Mon futur beau-père, le comte de Paris, était très strict sur ce point. Si bien que, jusqu'à notre mariage et même après, Thibaut et moi avons traversé une période difficile... » Elle donna un exemple de l'autoritarisme fou du comte de Paris, une anecdote presque ridicule que lui avait racontée Thibaut : « Il avait dit à Thibaut qu'il fallait voter lors de l'élection présidentielle pour un candidat déterminé. Thibaut lui avait répondu que le vote était secret et qu'il voterait pour le candidat de son choix, ce qui n'avait pas du tout plu à mon beau-père. »

La seule fois où père se rendit en prison pour voir Thibaut, il se débrouilla pour que des photographes soient là. Ce qui lui permit de revêtir, dans les médias, le masque du père aimant malgré les égarements d'un fils indigne ! P'tit Beau passa dix-huit mois en prison. Son procès eut lieu le 28 juin 1981, alors qu'il était toujours détenu en préventive à la maison d'arrêt de Pau. Il fut condamné à un an de prison et donc libéré à l'audience. La vraie honte pour notre famille fut que Thibaut ait dû rester dix-huit mois en prison, soit soixante-douze semaines, ou encore trois cent quatre-vingt-quatorze jours. Dans une des prisons les plus sales de France, au contact d'assassins et de truands endurcis. Thibaut n'avait pas de casier judiciaire, il n'était mêlé à cette histoire que par une complicité dont on n'établit jamais la preuve définitive. L'idée de voler ou de nuire à quelqu'un lui était étrangère. Il avait fallu une terrible suite de malheurs pour le déstabiliser à ce point. Thibaut aurait pu sortir très rapidement après son arrestation, il aurait fallu, pour cela, négocier une caution. Malheureusement, Marion n'en avait pas les moyens. Père ne voulut rien savoir. Lui si prompt à faire jouer ses relations au sommet de l'État, dans les préfectures et les ministères, lorsque le fisc ou quelques broutilles administratives osaient le tracasser, ne décrocha pas son téléphone. Le sort de son fils ne le préoccupait pas. Seule la bonne image médiatique de sa personne l'inquiétait.

5 mars 1998, 22 h 40

À quelques jours près, cela fait quinze ans que Thibaut est mort. Je n'aime pas les commémorations morbides, mais comment pourrais-je ne pas raconter ce que nous savons de son décès. Les circonstances de sa disparition sont si troubles que nous ne pouvons toujours pas définir avec certitude ce qui fut à l'origine de sa mort. Comme pour le pathétique « fric-frac » dans lequel il fut compromis, c'est un rapport officiel, communiqué par le consulat général de France à Bangui, qui donna les premiers éléments explicatifs. Ce document, impersonnel mais précis et purement administratif, me semble le seul récit supportable de ce drame.

« a/s : décès du prince Thibaut d'Orléans.

Le 23 mars 1983 à 11 h 45, un appel téléphonique de la tour de contrôle de Bangui a fait part de l'arrivée prévue à 12 h 25 d'un avion en provenance de Bamingui (500 km au nord de la capitale), ayant à son bord la dépouille mortelle du prince Thibaut d'Orléans, décédé dans cette localité quelques heures plus tôt. Le pilote, dans son message, a demandé de prévoir le transport du corps. Accompagné du vice-consul, le consul général s'est rendu à l'EFAO (Éléments français d'assistance opérationnelle), pour solliciter la mise à disposition d'une ambulance. Celle-ci était en place au terrain à l'arrivée de l'avion. Dans l'appareil, un Cessna piloté par M. Metge, se trouvait M. Claude Vigne, employé à la société centrafricaine Safari qui a remis au consul général les papiers et quelques affaires appartenant au défunt et a donné une première information sur le décès. Le prince Thibaut d'Orléans était arrivé à Bangui le 18 mars par un vol de la compagnie Le Point. C'est par la route qu'il est arrivé sur Bamingui, en compagnie de M. Vigne, lorsque vers 10 heures du soir, à l'entrée de Bamingui, il a commencé à ressentir des malaises (poitrine oppressée, vomissements). Il a été malade toute la nuit et ses compagnons ont fait appel à l'infirmier, M. Serre, appartenant à un détachement français en mission dans la région. Cet infirmier a trouvé le prince sans connaissance et a pratiqué, sans succès, des massages cardiaques. Thibaut d'Orléans est décédé à 9 h 30. L'infirmier a établi un rapport qui a été contresigné par son chef de détachement le lieutenant Hessler.

La dépouille mortelle a été embarquée une heure plus tard dans l'avion de M. Metge qui, appelé pour une réparation, était arrivé à Bamingui dans la matinée. Dès son arrivée à Bangui, le corps a été transporté à la morgue du CHU.

Le consul général a immédiatement alerté les docteurs Lesbordes et Beuzit de l'hôpital, ainsi que le docteur Georges, directeur de l'Institut Pasteur de Bangui. Ces trois médecins ont procédé à un examen du corps puis ont décidé d'effectuer des prélèvements pour analyse dans les services de l'Institut Pasteur de Bangui et envoi ultérieur à l'Institut Pasteur de Paris (fait le 28 mars 1983). La dépouille mortelle n'a pas été embaumée, ceci afin de permettre ultérieurement une autopsie si la famille ou la justice l'exigeait. Un certificat médical a été établi par le docteur Lesbordes. Ce certificat indique qu'il n'existe aucun élément faisant apparaître cette mort comme suspecte, la cause possible du décès étant un épanchement péricardiaque volumineux. Selon certains témoignages, le prince à son arrivée en France souffrait déjà de troubles (enflures des chevilles et des poignets) qui viennent à l'appui de ce diagnostic.

Le maire de Thoiry (78770) a été alerté par télégramme. Ceci a été doublé d'un appel téléphonique à Thoiry où, après avoir tenté de prendre contact avec la mairie et la gendarmerie, le consul général a pu finalement joindre le service des urgences des pompiers qui ont immédiatement alerté le chef de brigade de cette localité.

Le même jour, à 18 h 30, le consul général a reçu un appel téléphonique du comte de la Panouse qui, alerté par la mairie et la gendarmerie de Thoiry, souhaitait obtenir des informations sur le décès. Il lui a communiqué les renseignements qu'il possédait et l'a prié de demander à l'épouse du défunt où devrait avoir lieu l'inhumation et si quelqu'un avait l'intention de venir à Bangui pour la mise en

188

bière. Plus tard, le comte de la Panouse a téléphoné directement à la résidence de l'ambassadrice, Mme Couturier, pour annoncer l'arrivée de la princesse Marion d'Orléans par l'avion du 24 mars. Celle-ci a été accueillie à 5 heures du matin par M. Basaguren, chargé d'affaires, et le consul général l'a accompagnée à la morgue où il a été procédé, en sa présence, à la mise en bière, après une bénédiction donnée par un prêtre de la paroisse Notre-Dame de Bangui. Le consul général a ensuite accompagné la princesse Marion d'Orléans à l'Institut Pasteur de Bangui où elle s'est entretenue avec le docteur Georges, directeur de ce centre. Le consulat ayant reçu dans la matinée une autorisation d'inhumer de la mairie de Thoiry, le consul général a fait procéder immédiatement, avec l'accord de la princesse, à la constitution d'un dossier de transfert de corps. Tous les documents indispensables étant rassemblés à 18 heures, le cercueil a été transporté dans la soirée à l'aéroport et embarqué par le vol RK 056 d'Air France, dont l'arrivée à Roissy était prévue le 25 mars à 8 h 30. La princesse d'Orléans a regagné la France par le même avion. »

À la lecture de ce rapport on est saisi d'un malaise diffus, car aucune explication valable sur les raisons physiques de la mort de Thibaut n'est apportée. Marion, ses amis, la famille, tous nous fûmes rapidement convaincus que cette mort n'était pas naturelle. Des amis de notre frère nous laissèrent entendre qu'il s'était lié, en Afrique, à des personnalités douteuses. Mais la simple idée d'exiger une autopsie du corps de notre frère était au-dessus de nos forces. P'tit Beau avait déjà trop souffert. Père ne semblait pas de cet avis. Il fallait qu'il nous montre encore sa pseudo-puissance par un ultime et méprisable châtiment. Le comte de Paris fit enterrer notre frère cadet à l'extérieur de la crypte familiale, répudiant son fils jusque dans la mort, rejouant cette infâme comédie qui nous avait tous effrayés à l'enterrement de Louis-Philippe. Sur cette ultime agression je ne peux en dire plus. Ma douleur est trop grande, la haine trop proche.

Nos soupçons sur les causes de la mort de Thibaut devaient rejaillir quelques années plus tard. Le 19 décembre 1989, la Direction centrale de la Police judiciaire transmettait au procureur de la République de Paris de nouvelles informations sur le décès de notre frère. L'Office central pour la répression du trafic de stupéfiants avait placé sur écoute, à la demande d'un juge suisse, la ligne téléphonique d'un certain Alain, gérant d'un bar à Paris. Cet homme était en relation avec la famille de Marion. Tous deux, un jour, évoquèrent le décès de Thibaut en le qualifiant de meurtre. La retranscription d'une telle conversation, dans une commission rogatoire internationale, ne pouvait que provoquer une réaction du parquet. Une instruction fut ouverte le 27 décembre 1989 contre X., pour homicide volontaire. Le juge Frédéric N'Guyen fut saisi du dossier. Immédiatement, pour Marion et son fils Robert qui n'avaient pas la force d'affronter encore cette terrible affaire, je me portai partie civile. Ce que nous n'avions pas osé faire, le juge le fit. Le corps de Thibaut fut exhumé le 24 avril 1990 et un examen autopsique et radiologique fut pratiqué le 27 avril. Les médecins ne trouvèrent aucune lésion due à des violences qu'aurait pu subir notre frère. Ils notèrent une absence de lésion coronarienne, de même aucune lésion fibreuse du myocarde et aucune trace d'hémorragie cérébrale. Ce qui mettait fin à la possibilité d'un épanchement péricardiaque. Les analyses complémentaires confirmèrent ce qu'avait déjà diagnostiqué l'Institut Pasteur en 1983 : Thibaut n'avait succombé ni à une hépatite aiguë, ni à un virus... Le mystère restait entier. Le juge entendit de nombreux témoins, mais sept ans après les faits les propos se firent hésitants. Malgré de lourds soupçons, le juge ne disposait d'aucun élément pouvant accréditer la thèse de l'assassinat. Et puis, la politique étrangère de la France en Afrique recommandait la plus grande prudence. Il n'aurait pas été bien vu qu'un petit juge parisien aille interroger, en Centrafrique, quelques potentats locaux sur leurs liens avec le prince Thibaut. Certainement limité dans son action, mais de bonne volonté, le juge d'instruction signa une ordonnance de non-lieu le 31 juillet 1991. Aujourd'hui encore, nous ne savons toujours pas, précisément, ce qui a tué notre jeune frère Thibaut. Nous savons seulement ce qu'il cherchait à fuir.

15

Étrange coffre pour la parure de Marie-Antoinette

23 avril 1998, 14 h 10

Plus d'un mois que je n'ai pas ouvert ce cahier. Plus les lignes s'empilent, plus mon récit devient présent. Je n'aurai bientôt que les choses de mon quotidien à raconter sur ces pages, ou quelques événements récents. Et c'est le cas aujourd'hui, car si je reprends ce petit travail d'écriture après des mois d'abstinence, c'est parce qu'un nouvel échec nous atteint. Aujourd'hui la Cour de cassation, présidée par M. Lemontey, a rendu son arrêt n° 1674 P. Cet arrêt nous concerne, nous les enfants du comte de Paris. Il s'agit du dernier volet dans ce bras de fer juridique qui nous oppose à papa au sujet de la vente de 1996 chez Sotheby's. Nous savions que cet engagement, devant la Cour de cassation, était perdu d'avance. Même si le tribunal nous avait donné raison, il aurait été impossible de récupérer les objets éparpillés par les enchères. Mais nous avions espéré que la Cour nous rendrait un peu de la dignité bradée par notre père. Les juges en ont décidé autrement, considérant que nos armes sur de la vaisselle ne pouvaient en faire validement des objets historiques, ni même des souvenirs...

20 juin 1998, 13 heures

Partout dans Paris, surtout auprès des personnes qui me connaissent, père se vante de nous avoir battus devant la Cour de cassation. Comme si cela représentait une victoire dont un père puisse réellement se vanter. Sa joie, ostensiblement manifestée, a choqué plusieurs de nos amis communs. Je pense qu'il perd progressivement contact avec la réalité. Déjà cet été, en juillet, lors de son anniversaire, il a fait pleurer maman. Le hasard a voulu que je ne puisse me rendre à cette manifestation. Une piqûre de vipère m'avait contraint à rester au lit et sous surveillance médicale. Ce qui me permit de ne pas croiser certains invités de ce gala, comme cet ex-ministre de la Culture qui me dégoûte profondément et dans la compagnie duquel mon père se délecte. C'est l'une de mes sœurs qui me rapporta le détail des affligeants propos que père adressa à maman.

Après la grande réception au château, maman et mon père étaient invités par le maire d'Amboise à l'inauguration d'une place au nom de papa. Au retour, dans la voiture, père expliqua à maman que c'était la dernière fois qu'elle le verrait. Qu'il ne voulait plus la voir, ni elle, ni les enfants, qu'il serait donc inutile de l'appeler ou de passer chez lui : il n'y serait plus pour personne. Si, pour des raisons pratiques, nous avions besoin d'avoir quelque chose de lui, nous devions passer par Mme Friesz ou la Fondation Saint-Louis. Mes sœurs récupérèrent maman en larmes, incapable d'expliquer, dans l'instant, ce que père lui avait lancé à la tête.

Malgré tout, ces anecdotes ne sont pas au centre de mes inquiétudes, bien qu'elles donnent une idée de l'état mental de notre père. J'ai fait mener une enquête sur l'état du patrimoine familial : le résultat est hallucinant. De la fortune de quatre cents millions de francs que possédait père en 1949, il ne semble plus rien rester, si ce n'est quelques titres pour une valeur d'environ dix-huit millions de francs et des bois dont l'estimation reste floue. L'écart est faramineux ! Si l'on réévalue le patrimoine familial de 1949 en monnaie actuelle, il représenterait plus de deux milliards de francs. Ces chiffres me donnent le vertige. Il est vrai, père a fait quelques folies, il joua pendant un temps, il réalisa aussi de mauvais placements, mais son train de vie ne peut justifier la disparition de ces biens. La liste des châteaux, terrains, immeubles, bois, bijoux et tableaux vendus est colossale. En plus des ventes chez Sotheby's Genève et Monaco, le manoir d'Anjou, à Bruxelles, le château du duc de Guise au Nouvion-en-Thiérache, le palais des Orléans à Palerme ont été vendus pour une somme totale que nous évaluons à plus de soixante millions de francs. Et la liste ne s'arrête pas là. En 1983, le manoir de Louveciennes a été vendu pour dix millions de francs. La parure de Marie-Antoinette a été vendue en 1985 pour cinq millions de francs au Louvre...

La petite histoire de cette vente et celle de la parure elle-même valent une parenthèse. Car cette parure de diamants et de saphirs cristallise toute l'histoire de notre famille depuis la Révolution. Elle en est même le symbole historique, la trace matérielle des aléas de la royauté et même de l'empire, car, par le jeu des mariages et des cessions, elle souligne la passation de pouvoir entre les Bonaparte et les Orléans. Cette parure est composée de vingt-huit saphirs de Ceylan sertis de diamants, elle comporte une paire de boucles d'oreilles, une paire de broches, un pendentif et un diadème. Ce qui totalise plus de trois cents carats en saphirs et plus de cent diamants. La mythologie familiale veut que les pierres aient appartenu à Marie-Antoinette. Ces bijoux seraient à l'origine de la Révolution française. Le peuple de Paris aurait pris les armes, scandalisé par les caprices de la reine Marie-Antoinette pour qui on achetait ces pierres, alors que le roi refusait d'acquérir du blé pour le peuple affamé. Tout le monde connaît cette histoire, maintes fois romancée. La première trace historique de ces bijoux remonte à 1791. Ils sont mentionnés dans l'inventaire des bijoux de Marie-Antoinette dressé par Delattre, Bon et Christin, tous trois députés de la Constituante. La première monture a été réalisée en 1809 par un maître joaillier resté anonyme. La parure fut offerte par Napoléon Ier à la reine Hortense, fille de Joséphine de Beauharnais, pour son mariage avec Louis Bonaparte, frère de Napoléon. La belle-fille et belle-sœur de ce dernier régna brièvement sur la Hollande de 1806 à 1810. En 1821, les Bonaparte furent condamnés à l'exil et la reine Hortense dut vendre la parure. Ce fut Louis-Philippe, encore duc d'Orléans, qui en fit l'acquisition, non sans esprit de revanche, pour la somme fabuleuse à l'époque de cent soixante mille francs-or. Louis-Philippe, qui devait devenir roi en 1830, offrit les bijoux à son épouse, Marie-Amélie, fille de Marie-Caroline de Naples et donc nièce de Marie-Antoinette. Depuis, la parure était restée dans la famille jusqu'à notre père le comte de Paris, qui en hérita du duc de Guise.

Toutes ces histoires de la grande Histoire sont donc vivantes à travers cet objet, véritable trésor national. Tout cela pour qu'un soir d'hiver, notre père se fasse arrêter par les douanes, comme n'importe quel trafiquant, à la frontière suisse. Les douaniers furent assez surpris de trouver dans la voiture de Monseigneur, entre deux couches de chaussettes, un sac en velours mauve empli de verroteries étincelantes. Le ministère des Finances eut quelques difficultés à croire que le comte de Paris avait oublié de déclarer cette petite valeur par simple étourderie. En réalité, papa se rendait en Suisse pour vendre, en secret, la parure de Marie-Antoinette. Un joli coup qui aurait dû lui rapporter plus de neuf millions de francs. Au regard du code des douanes, le comte de Paris aurait pu être arrêté et déféré devant un juge d'instruction. Dans ces conditions, il risquait, outre un peu de prison, la confiscation des biens objets de la fraude et une amende du montant de leur valeur. Il n'en fut rien. L'amitié qui liait papa à François Mitterrand le sauva. Mais le ministère des Finances est une institution coriace, les douanes ont un statut spécifique qui leur permet de transiger : il y eut transaction. Les bijoux ne furent pas confisqués, il n'y eut pas d'amende, mais le prince fut obligé de vendre au Louvre, à un prix très avantageux pour le musée, les bijoux qu'il souhaitait occulter de ses biens propres.

Cette piteuse vente ne mit pas fin à la grande braderie de notre patrimoine. En 1986, père se sépara d'un tableau d'Ingres représentant le duc d'Orléans (1810-1842) pour quinze millions de francs. L'acquéreur en fut M. Amon, un riche industriel de Lausanne. Le règlement aurait été effectué à Monaco, mais aussi sur un compte en France de la Via-Banque de Paris. Cette vente surprit les professionnels, jusqu'à Maryvonne de Saint-Pulgent, commissaire du gouvernement, qui soulignait un certain nombre de faits « étranges » dans ses conclusions du 24 janvier 1990 pour le conseil d'État. Elle expliquait que le Louvre avait offert au comte de Paris, en 1983, trente-cinq millions de francs pour le rachat de ce tableau. De même, M. Amon sollicita, dès 1987, une licence d'exporter le tableau pour une valeur déclarée de cinquante millions de francs (estimation de Sotheby's). Le comte de Paris est sans aucun doute un très mauvais homme d'affaires, mais de là à vendre un tableau à la moitié de sa valeur, il y a un gouffre que je ne peux enjamber. Père a déclaré avoir vendu ce tableau pour quinze millions de francs, mais lorsque j'ai fait demander à M. Amon qu'il nous confirme le prix de cession, celui-ci s'est refusé à tout commentaire.

Aujourd'hui le tableau est exposé à Londres et son propriétaire s'apprêterait à le vendre, malgré l'interdiction de réexportation décidée par les autorités compétentes.

De même père céda, à vil prix, la Quinta do Anjinho en 1988, pour seulement dix millions de francs aux pompiers de Sintra. Si l'on additionne ces ventes et que l'on réévalue la somme au cours actuel, on peut estimer à deux cents millions de francs les actifs réalisés par notre père en moins de quinze ans. Où sont passés ces deux cents millions ? Nul ne le sait ! Père n'a pas un train de vie extraordinaire, bien au contraire. Pour faire disparaître cette fortune, il aurait fallu qu'il dépense plus de dix millions par an, depuis dix ans. Ce qui représente plus de huit cent mille francs par mois à distribuer. C'est impensable ! Depuis le début des années quatre-vingt, père vit modestement, ses extras dans les grands hôtels se font excessivement rares et il ne fréquente plus les casinos depuis longtemps. Cet argent a dû être capitalisé, mais pas dans le patrimoine de notre père, puisque, dans ses déclarations d'impôt, papa a déclaré, en 1995, un revenu de huit cent quatorze mille vingt-trois francs ; de même en 1996 : huit cent quatorze mille sept cent quatre-vingt-deux francs ; et encore en 1997 : sept cent quatre-vingt-douze mille quatre cent cinquante et un francs. Sur les comptes en banque connus, n'apparaissent pas plus les fruits de ces nombreuses ventes, ni même un revenu financier correspondant. Père sait que le droit français ne lui permet pas de nous déshériter. Je crois qu'il a trouvé une façon de contourner cet obstacle.

16

L'étrange Mme Friesz

8 septembre 1998, 8 h 30

Les éléments que l'on me rapporte sur Mme Friesz
– que la presse n'hésite plus à présenter comme la
maîtresse de papa – me consternent. Premièrement,
Monique Friesz ne serait pas Monique Friesz. Son
vrai nom serait Élise Friese, Monique ne serait que
son quatrième prénom et elle aurait changé l'ortho-
graphe de son patronyme par simple souci de
coquetterie afin de le faire ressembler à celui de
l'artiste italien du XIXᵉ siècle. Plus étrange, elle a
déclaré au bureau des décorations du ministère de
la Santé être née le 5 novembre 1922 dans le dixième
arrondissement de Paris. Car Mme Friese a reçu, de
François Mitterrand, la médaille de l'ordre du
Mérite, le 13 juillet 1987. L'étrangeté de cette histoire est que les bureaux de l'état civil de Paris n'ont
pas trace d'une naissance sous le nom de Friese le
5 novembre 1922, et ceci dans aucun des arrondis-
sements de Paris.

Mais, aujourd'hui, nous savons d'autres choses sur

cette femme. Les employés de l'hospice Condé, dont elle fut la directrice de 1975 à 1993, ont gardé d'elle un souvenir impérissable. Ils se souviennent fort bien des blagues de mauvais goût qu'elle faisait sur papa, mais aussi qu'elle avait toujours sur elle des sommes considérables en liquide, ce qui lui permettait de distribuer, à l'occasion, des petits billets aux employés dévoués. Ces sommes importantes en liquide, mises à sa disposition, sont attestées par une série de factures. En 1988, pour faire un cadeau à ses enfants, elle acheta cinq voitures neuves. Les factures du garage précisent : « Payé en liquide. » Le montant global de ces petites emplettes s'élevait à deux cent trente-trois mille trois cent soixante-dix francs... Sans doute était-ce de l'argent de poche !

Élise Friese est entrée dans la vie de papa en 1974. Elle lui fut présentée par notre sœur Chantal, baronne François-Xavier de Sanbucy de Sorgue, au cours d'un dîner chez une richissime Américaine, avenue Foch. De ce jour elle ne quitta plus papa. Élise Friese est une femme énigmatique. Ceux qui la connaissent, comme un célèbre imprimeur parisien, refusent obstinément de parler d'elle. Petite infirmière, on la retrouve dans l'ombre de nombreuses personnalités de la politique, mais c'est avec une certaine crainte que l'on évoque son nom. Avec elle, papa ne pouvait pas mieux tomber ! En 1975, elle devient la directrice de l'hospice Condé et, au début des années quatre-vingt, nous apprenons, consternée, qu'elle partage la vie quotidienne de notre père. Notons que cette union, sans doute fort spirituelle, et sa concrétisation dans la propriété d'Élise Friese à Vineuil-Saint-Firmin en 1981, coïncide avec le début des ventes systématiques des actifs du patrimoine familial et la disparition de leur produit.

Je n'accuse Élise Friese d'aucune malversation, mais je crois que son influence sur notre père n'a pas été des plus positives pour nous. Une anecdote, plus qu'une autre, me confirme dans cette idée. Les faits se sont déroulés en 1986. Avec le portrait d'Élise Friese que l'on m'a brossé, ils prennent un autre sens.

En mars 1986, père fut victime d'un accident cardiaque. Grâce à des amis de l'Agence France-Presse, je fus mis au courant immédiatement. Les enfants félons du comte de Paris ne peuvent rien attendre de sa dame de compagnie, même dans de telles circonstances. Sans attendre, je fonçai à l'hôpital. Je trouvai mon père inconscient, en réanimation. Les médecins réservaient leur diagnostic. La directrice de l'hôpital me prit à l'écart : « Je suis très embêtée, Monsieur le duc... car une certaine Mme Friesz, qui se prétend infirmière, fait tout un scandale. Elle exige une chambre à côté de celle de Monseigneur, votre père. Nous sommes un service de réanimation, et l'immobilisation d'une chambre est pour nous un vrai problème. Nous pourrions être amenés à refuser une urgence par manque de place. Cela pourrait être catastrophique. » Je sentis la colère m'envahir : « Cette Mme Friesz n'est pas une parente du comte de Paris, elle n'a aucun ordre à donner au sujet de mon père. Je vous demande de ne plus l'autoriser à voir le comte de Paris ! »

Durant les deux ou trois jours où père fut inconscient, sa dame de compagnie fut tenue à l'écart. Dès qu'il reprit connaissance, avant tout autre il la demanda à son chevet. Dans les heures qui suivirent, il me convoqua : « Jacques... Tu ne comprendras jamais rien ! Ton comportement est odieux ! Si je suis encore en vie c'est à Mme Friesz que nous le devons. Cette femme veille sur moi et me protège comme nul ne l'a jamais fait. En l'écartant de moi, alors que j'étais inconscient, quelle était ton intention ? Est-ce que tu as conscience de la gravité de tes actes ? J'ai failli mourir à cause de toi ! » Père était persuadé que, loin de cette femme, sa vie était en danger. Il me regardait avec suspicion comme si j'avais essayé de le tuer. Je fus consterné. Il vouait à sa dame de compagnie une dévotion sans borne, comme si sa présence, par magie, écartait de lui les anges de la mort. Nous nous dévisagions en silence, chacun happé par un monologue intérieur, dérouté par l'autre, incrédule devant la réalité de l'autre, choqué. Père, alors, m'annonça : « Je ne veux plus que personne de la famille n'entre ici sans l'autorisation de Mme Friesz. Est-ce bien clair ? » Pendant quelques secondes, je regardai encore cet homme dans son lit, puis je me détournai et passai la porte. Ce jour-là j'ai marché longuement, car, dans les yeux de mon père, j'avais vu la folie.

3 janvier 1999, 18 h 30

Le puzzle sera bientôt complet. Ce matin, j'ai réceptionné une nouvelle fournée d'informations, principalement sur la Fondation Condé qui gère le fameux institut hospitalier qui fut dirigé par Élise Friese. L'hospice Condé de Chantilly, dans l'Oise, a été fondé par Marguerite de Montmorency en 1646. À l'origine, la fondation était une société civile dite de l'hospice Condé. Elle fut créée aux alentours de 1886. Elle était encore en activité en 1959, car nous en avons la trace dans un acte de vente. Sa mutation en fondation devrait dater de 1973. C'est à cette même époque que fut créée la Fondation Saint-Louis. La Fondation Condé dispose d'un portefeuille d'actions d'environ douze millions de francs, et d'un portefeuille de participation au sein de l'OPAC de la ville de Chantilly. Ces portefeuilles sont les fruits de la vente d'un important patrimoine immobilier que nous avions hérité des Condé Montpensier au siècle dernier. Ces transformations de société en fondation étaient justifiées, aux yeux du comte de Paris, par des intérêts fiscaux. Mais comme la Fondation Condé a été placée, dès 1974, à l'intérieur de la Fondation Saint-Louis, dont notre famille a été exclue progressivement, à la mort de notre père nous n'aurons plus aucun pouvoir sur celle-ci non plus. Encore une fois, comment ne pourrait-on pas penser que notre père cherche à nous déshériter ?

Sur la Fondation Condé, père a tout pouvoir. Il

est le président de son conseil d'administration. C'est lui qui a imposé Élise Friese, en 1975, au poste de directrice de l'hospice jusqu'en 1993. Il est intéressant de noter que, durant cette période, la gestion de l'institut de gériatrie a connu quelques déboires. La rémunération versée par la Fondation Condé à sa sémillante directrice a fait l'objet de vives critiques. Le fait que son salaire fût en partie prélevé sur les fonds propres relevait d'une irrégularité comptable qui fut dénoncée par les syndicats présents dans l'entreprise. Autre fait troublant, la convention collective applicable à sa profession prévoit une mise à la retraite à soixante ans. En 1993, date de son départ, Élise Friese avait soixante et onze ans. Durant les cinq dernières années de son activité à la Fondation Condé, Élise Friese était secondée par une directrice adjointe, Mme Sommerard, qui remplissait, d'après les représentants syndicaux, une très grande partie des fonctions du poste de directrice. Élise Friese ne passait que peu de temps à l'hospice et semblait très occupée par la communication externe de l'entreprise. Ce n'est qu'après une multitude de plaintes des délégués syndicaux et la dénonciation de cette situation auprès du conseil général, du conseil régional et de la préfecture de l'Oise, tous comptables des importantes subventions attribuées à l'hospice, qu'Élise Friese accepta de prendre sa retraite. Pour ses loyaux services, la présidence de la Fondation Condé décida de lui faire un chèque d'indemnisation de cent soixante mille francs. Puis un deuxième – quand on aime, on ne compte pas ! – de huit cent mille francs, tiré sur un compte Azur. Là, le ministère de l'Intérieur, destinataire très discret des comptes des fondations en France, trouva que l'on dépassait un peu la mesure. Cet argent aurait été restitué le 18 août 1993. Du moins c'est ce que l'on peut lire dans le procès-verbal du comité d'entreprise de la Fondation Condé du 25 mai 1994.

Détail amusant : à la périphérie de la Fondation Condé fut créée l'association des Amis de la Fondation Condé. Elle recevait les dons des bienfaiteurs et héritait parfois de pensionnaires de l'hospice morts dans la solitude et qui avaient couché l'association sur leur testament. Celle-ci fut dissoute en 1993, son fonctionnement posant problème au ministère de l'Intérieur. En 1990, son patrimoine était évalué à plus de vingt millions de francs. Sous l'effet d'une érosion mal définie, ce patrimoine est allé en s'amenuisant. En 1993, il ne restait que dix millions de francs. Beaucoup s'interrogent sur l'utilisation exacte de ces fonds, mais le plus inquiétant a été dénoncé dans un très discret rapport, en 1989, celui du commissaire aux comptes de la Fondation Condé. Bernard Marchand, commissaire aux comptes sur les opérations de l'exercice 1988, avait refusé sa certification ! Ce qui est une chose extrêmement rare dans la profession. Les commissaires aux comptes sont chargés de veiller sur les biens sociaux dans une entreprise afin que nul ne soit lésé. Pour ce faire, ils vérifient l'exactitude des comptabilités. En l'occurrence, Bernard Marchand, en refusant de certifier les comptes, dénonçait des irrégularités dans le fonctionnement de la Fondation. En tout premier lieu, des « malveillances » dans la gestion qui provoquaient des déficits artificiels, mais aussi des flux financiers injustifiés entre les fonds propres et la comptabilité contrôlée (environ neuf millions de francs par an). Et, pour finir, l'utilisation abusive de fonds provenant des pensions des personnes hébergées, versés à la Fondation et non restitués (environ quatre millions de francs par an). En clair, un tel constat pouvait laisser craindre des abus de biens sociaux massifs et un détournement pur et simple des retraites des vieillards hébergés. Seule une enquête approfondie, sous l'autorité d'un juge d'instruction, aurait pu faire la lumière sur ces questions et dire ce qui était de l'ordre de la malversation, et de la mauvaise gestion. Ce ne fut pas le cas.

La législation est pourtant explicite : lorsqu'un commissaire aux comptes refuse de certifier un exercice, une dénonciation au procureur de la République est obligatoire. Qui est intervenu pour bloquer ce mécanisme de sécurité censé protéger les deniers de l'État et les biens sociaux d'une entreprise ? Pourquoi les représentants du préfet de l'Oise qui ont pour mission de contrôler la Fondation et qui furent parmi les destinataires de ce rapport n'ont-ils pas réagi ? Pourquoi les élus qui subventionnent la Fondation, les fonctionnaires du ministère de la Santé, les administrateurs de la fondation, eux aussi destinataires de ce fameux rapport, n'ont-ils pas demandé des mesures coercitives ? La question reste posée puisqu'aucun n'a accepté de nous répondre.

La Fondation Condé n'est pas la première à

connaître ce genre de dysfonctionnement. Au Crédit Lyonnais ou à la Garantie mutuelle des fonctionnaires, ce sont les mêmes structures de protection des finances de ces entreprises qui furent mises en échec. Dans ces deux cas, c'est un savant mélange de politique et de réseaux d'influences qui provoquèrent le sabotage. Pour la Fondation Condé, j'espère qu'un jour une enquête judiciaire fera la lumière sur sa gestion si particulière.

Je sais aussi que papa s'enorgueillissait de pouvoir décrocher son téléphone et parler à François Mitterrand quand il le désirait. Élise Friese nous a déclaré : « J'ai apporté une nouvelle énergie à la Fondation Condé. J'ai fait de mon mieux et j'ai reçu l'aide et le soutien de Simone Veil, de Valéry Giscard d'Estaing et de Jacques Chirac. » Le rapport du commissaire aux comptes fit-il naufrage sur ce fleuve de relations et d'amitiés bienveillantes, je n'ose le croire !

Aucune des mesures pour le « redressement de la situation » préconisées par Bernard Marchand n'a été prise. Ce dernier affirme avoir été surpris que son successeur aux fonctions de commissaire aux comptes de la Fondation Condé n'ait pas pris contact avec lui pour se mettre au courant du dossier et recevoir un certain nombre de documents, comme la règle de la profession l'exige. Enfin, comme pour les biens propres de papa, la Fondation Condé, qui fut longtemps l'honneur du patrimoine familial, s'est lancée dans une série de ventes. En 1983, nos bois en Côte-d'Or ont été vendus pour trois millions cinq cent quarante-cinq francs. Un immeuble à Montrouge en banlieue parisienne a été vendu pour neuf millions de francs et les bois de Jumièges, en 1981, pour sept millions cinq cent quatre-vingt-quatre francs. Le fruit de ces ventes semble avoir été englouti, au moins en partie, dans la très particulière gestion de la Fondation Condé.

16 février 1999, 15 h 30

Nous avons fait sauter quelques bouchons de champagne. Pour la première fois, un tribunal nous a donné raison devant notre père. C'est ridicule, je me sens comme un enfant devant sa première voiture à pédales. Le droit nous a donné raison. Nous avons raison ! La cour d'appel de Paris, dans son arrêt, a pris acte : « ... Depuis plusieurs années leur père n'agit plus dans l'intérêt de leur mère et des enfants mais dans celui de sa compagne, Mme Friesz ; que le consentement de leur mère à divers actes passés dans l'intérêt de cette tierce personne est sujet à caution, voire vicié ; que le changement de régime n'est nullement nécessaire pour assurer la sécurité financière du survivant de leurs parents ; qu'enfin si l'on considère les nombreuses ventes déjà intervenues de biens immobiliers et mobiliers de la Maison royale, ils ne peuvent que redouter une dilapidation du patrimoine... »

Ces mots inscrits sur ce document de justice, je les lis et les relis. C'est un peu comme s'ils me restituaient une part de ma vie. Enfin, la réalité de mon père est reconnue. Notre souffrance et les injustices que nous avons subies le sont du même

210

coup. Certes, cela reste symbolique, mais c'est d'une importance capitale. Comment le faire comprendre ? C'est un poids que l'on nous enlève, c'est un handicap qui disparaît. Tout simplement, je pourrais enfin penser à autre chose. Nous avions besoin de cela pour définitivement croire en nous. Oui, croire en nous-mêmes, ne plus douter de nos valeurs et de nos sentiments.

1er mars 1999, 23 h 15

Michel, qui passe régulièrement chez maman rue de Miromesnil, m'a expliqué qu'elle n'a même pas lu l'arrêt de la cour d'appel de Paris. Il l'aurait même entendue dire à ses sœurs que papa aurait gagné, insistant sur le fait : « Jacques a tout perdu. » Chère maman, pauvre maman ! J'aimerais vous faire savoir à quel point je vous aime, malgré tout ce qui peut nous séparer. J'aimerais vous dire à quel point j'admire la grande dame que vous êtes, celle qui cherche à sauver les apparences, celle qui aime toujours plus, pour effacer la honte. Mais, maman, comprenez-le, notre vie à tous est devenue un mensonge permanent. Dans ce creuset-là, rien ne peut naître pour l'avenir. Je sais, je vous fais souffrir ! Mais le monstre, ce n'est pas moi ! Ce n'est pas moi qui vous ai fait pleurer le jour de l'anniversaire de papa. Ce n'est pas moi qui ai scandaleusement dilapidé la fortune de notre famille. Ce n'est pas moi qui vis avec une concubine depuis quinze ans. Ce n'est pas moi qui ignore le nom de mes petits-enfants et

211

lorsqu'il les croise n'est pas capable de les reconnaître. Ce n'est pas moi qui vous ai traitée d'imbécile et d'idiote en public... Tout cela, si nous le taisons, nous nous en faisons les complices honteux. Si nous, les hommes et les femmes de la famille de France, nous ne savons pas reconnaître et dénoncer les graves errances de notre père, le comte de Paris, nous ne pourrons plus jamais revendiquer la place qui est la nôtre. L'histoire est implacable, car les faits sont incontournables, têtus, dit le philosophe. Père, par sa conduite à la tête de la Maison de France, a hypothéqué l'avenir de notre famille. Si nous n'affirmons pas notre désaccord en condamnant ses actes, nous périrons avec lui dans la honte, car un jour ou l'autre la vérité sera connue. Mère, je vous connais, je connais votre âme, je sais que bien des choses vous révoltent dans le comportement du comte de Paris. Je respecte votre fidélité à papa, votre discrétion, mais de grâce, que cela ne vous amène pas à condamner les victimes et à pactiser avec les escrocs...

25 mars 1999, 22 h 50

Les informations se suivent et se ressemblent. Les éléments sur la dilapidation sont déjà nombreux, les informations que je reçois ce matin sont d'une nature légèrement différente, mais elles vont dans le même sens. La gestion d'une autre partie du patrimoine familial, réunie au sein de diverses sociétés, vise, je le crois, à en réduire les profits. Le but me paraît évident, c'est encore une manœuvre de notre père pour faire disparaître des gains considérables qui auraient dû enrichir le patrimoine familial. En fait, les biens gérés par ces sociétés se sont réduits comme peau de chagrin. Nous n'avons pas clairement identifié ceux qui aident papa dans cette œuvre délirante. Je me défendrai bien d'accuser qui que ce soit. Mais en temps voulu, mon frère Michel et mes trois sœurs sont d'accord sur ce point, nous demanderons à la justice d'enquêter.

Première source d'étonnement, les quatre sociétés créées par papa ne sont pas déclarées au registre du commerce dont elles dépendent ! La principale société, qui détient 90 % des biens ainsi gérés, est le Groupement forestier de la Thiérache. Ce groupement forestier a été constitué pour 99 ans à compter du 1er juin 1947. Il a été doté d'un capital de soixante-seize millions de francs. Le comte de Paris est détenteur de quarante mille trois cent soixante et onze parts qui correspondent à deux mille hectares. L'année 1984 a été assez mauvaise pour le groupement. Certains des associés de papa, dont Michel de Grèce, notre cousin, ont décidé de se retirer. Une partie des bois a donc été vendue pour les indemniser. La Segespar Foncier a acheté pour plus de quatre-vingts millions de francs de terrains boisés. Cette société, dont nous n'avons pas identifié les actionnaires, est une structure du Crédit Agricole. Quelques mois plus tard, elle a revendu ces terrains sept millions de francs plus cher qu'elle ne les avait achetés. Cette même année, comme quoi la gestion du groupement ne convenait pas aux associés de papa, deux autres actionnaires l'ont quitté. Ils ont pris leurs parts en nature, soit pour une valeur arrêtée à vingt et un millions de francs. D'après l'un des directeurs adjoints de la banque SOGIP à Paris, qui est aussi le trésorier de la Fondation Saint-Louis et qui, par ailleurs, gère certains avoirs du patrimoine familial, il n'y aurait rien à redire, tout serait légal. Ces départs et ces ventes se seraient faits sans diminuer le bien de notre père. Pour être précis, cela n'aurait en rien entamé la fraction détenue par le comte de Paris dans le Groupement forestier de la Thiérache. C'est là le minimum que l'on puisse espérer !

Les actifs qui ont été réalisés en 1984 nous permettent de calculer la valeur de ceux appartenant à papa. Les deux mille hectares détenus par le comte de Paris à travers le Groupement forestier de la Thiérache valaient soixante millions de francs en 1984. Ceci dans la mesure où le partage fut équitable. Aujourd'hui la valeur de ce bien peut être estimée à quatre-vingt-cinq millions de francs. C'est là une somme considérable. Nous avons donc interrogé la SOGIP sur la rentabilité des investissements dans les forêts. Son directeur adjoint nous a avoué que la rentabilité de ces placements, ce que les banquiers appellent un retour sur investissement, est de 2 % l'an. Il est vrai que c'est peu ! Certains investissements, surtout pour des sommes de cette importance, assurent un revenu annuel pouvant aller jusqu'à 15 %. Mais les bois ont cette particularité de bénéficier d'abattements fiscaux pouvant aller jusqu'aux deux tiers de toutes les taxes. Enfin, notre père n'est pas un homme d'affaires, nous le savions... 2 % par an de quatre-vingt-cinq millions, cela représente quand même un million sept cent mille francs par an. Et si les actifs ne se sont pas mystérieusement dépréciés, comme nous l'a assuré le directeur adjoint de la SOGIP, de 1984 à 1999, cela a dû lui rapporter environ quinze millions de francs.

Là commencent les problèmes ! De ces quinze millions de francs nous n'avons pas trouvé trace. Car, dans les déclarations fiscales de notre père, à la ligne des revenus agricoles, là où l'on devrait trouver ce qu'il perçoit du Groupement forestier de la Thiérache, on lit un total d'environ cent quatre-vingt-douze mille quatre cent quatre-vingt-douze francs. Ceci pour les années 1995, 1996, 1997... Nous sommes loin du compte. Où sont passés les millions de francs du groupement ? À qui profitent-ils et pour quelle raison ? Le Groupement forestier de la Thiérache aurait-il des frais extraordinaires de fonctionnement ? Aurions-nous fait des erreurs de calcul ? Ces questions nous les avons posées au gérant du Groupement forestier de la Thiérache, Brice de Turkheim. Cet homme est, par ailleurs, l'un des administrateurs de la Compagnie forestière du Nouvion, la société qui exploite physiquement les bois qui sont la propriété, à 60 %, du comte de Paris. Il passe pour un excellent gestionnaire. Bien qu'il soit l'homme le plus au fait des transactions effectuées sur le groupement, il n'a pas voulu répondre à nos questions. Seule certitude, les capitaux investis dans le Groupement forestier de la Thiérache font perdre à notre père, chaque année, entre un et deux millions de francs. C'est autant qui ne vient pas s'ajouter au patrimoine de notre famille. Si ce n'est pas le cas, alors les deux mille hectares du comte de Paris dans le Groupement forestier de la Thiérache ont été surévalués lors du partage des lots en 1984. La valeur des bois n'aurait pas été de soixante millions, mais de six millions. Je ne peux croire une chose pareille. Il est bien regrettable que nul ne veuille s'expliquer.

17

Il a filé à l'anglaise

19 juin 1999, 23 h 40

Mon père est mort aujourd'hui. Il a filé à l'anglaise ! Il a réussi à éviter cette confrontation que je lui préparais à travers ces lignes. Et il me laisse en plan avec mes questions, mes blessures et mes espoirs, définitivement déçu. Moi qui espérais tellement, par ces phrases et ces mots que je couche depuis presque trois ans, l'obliger à me dire un peu de cette vérité qu'il cachait et que je ne ferai jamais plus que deviner. Je voulais qu'il sache ce que je pense de lui, ce que je vois de lui. Erreur ! Maintenant je dois dire « ce que je voyais ». Visiblement, il ne voulait pas le savoir.

J'ai appris la mort de mon père par la radio, alors que j'arrivais en voiture à l'entrée du château de Chambord. Même si l'on ne peut trouver mieux, comme cadre, pour apprendre une nouvelle comme celle-ci, ma première réaction a été la rage. Immédiatement, j'ai fait demi-tour pour me rendre chez maman. Là-bas, il n'y avait personne. J'ai téléphoné

217

à mes frères et sœurs et j'ai constaté que personne n'avait été averti personnellement. Ceux d'entre nous qui savaient l'avaient appris par la télévision ou la radio. Tous, du moins ceux que l'on appelle les « conjurés d'Amboise », nous ignorions où était notre mère, à quelle heure exactement était mort papa, et où reposait sa dépouille. Nous nous doutions bien que père était décédé au domicile d'Élise Friese, mais aucun d'entre nous ne pouvait se résigner à appeler cette femme pour avoir des réponses à des interrogations qui n'auraient jamais dû être. Je n'avais pas réussi à avoir de contact avec mes trois sœurs Anne, Chantal et Claude. Sans cesse je composais le numéro de Chantal à Montfort, près de Dreux, mais son poste sonnait occupé.

Ce n'est qu'en fin d'après-midi que nous avons eu des explications. Ma tante Thérèse, la sœur de maman, m'a appelé. Elle m'a expliqué que maman était chez Chantal depuis plusieurs jours, pour se rendre quotidiennement au chevet de papa chez Élise Friese, où il agonisait depuis cinq jours. Tante « Tété », comme nous l'appelons affectueusement, m'a fait une confidence : « Tu sais, ta mère est une femme incroyable, tu ne devineras jamais ce qu'elle m'a dit. Le plus naturellement du monde, elle m'a expliqué que depuis la mort de votre père, elle trouvait l'appartement de la rue de Miromesnil incroyablement vide ! » Elle ne vit plus avec papa depuis vingt ans ; même dans ces circonstances, elle veut préserver les apparences.

Un peu plus tard, nous avons appris quelques détails. Nos trois sœurs et maman ont été averties de l'imminence du décès de papa par Élise Friese, le 15 juin. Aussitôt Chantal a reçu ses sœurs et maman à son domicile de Montfort, pour faciliter les déplacements vers Cherisy, dans la banlieue de Dreux, où se trouve la villa d'Élise Friese. De ce jour, nos trois sœurs ont organisé le blocus des informations, en entourant maman à tout instant. C'est ainsi qu'aucun des six autres enfants n'a été mis au courant. Seul Henri, hier dans la journée, a été prévenu par maman. Il a pu au moins voir son père une dernière fois. Isabelle, Diane, Hélène, Michel et moi ne devions pas être dignes de cet honneur ! Père est mort aujourd'hui vers 15 heures, sans que nous puissions lui dire un dernier mot. Dans la soirée, le corps sera porté à la chapelle de Dreux. J'irai voir mon père avec ma femme et Michel. Nous lui ferons nos adieux. Je veux le voir mort. Je veux être certain qu'il n'est plus. C'est étrange, mais c'est comme ça !

21 juin 1999, 0 h 11

Cette journée du 20, quelle journée ! Après nous être recueillis devant papa par une prière dans laquelle nous avons essayé de trouver le pardon, avec ma femme et mon frère Michel, nous nous sommes rendus à la messe dominicale de l'église de Dreux. À la sortie de l'office, nous avons retrouvé maman et nos trois sœurs qui formaient, inlassables, une sorte de muraille autour d'elle. Mais de quoi ont-elles peur ? À plusieurs reprises, j'ai essayé de parler à maman. Elles m'ont tout simplement

219

écarté, sous le prétexte que ce n'était pas le moment. Le moment de quoi ? Je n'ai pas insisté, mon chagrin est trop grand devant un tel spectacle.

22 juin 1999, 21 h 30

La mise en bière a été pitoyable. Les gens du service des pompes funèbres étaient plus nombreux que la famille. J'ai glissé dans l'oreille de mon frère Michel : « Au moins, ils mettent un peu d'ambiance. » Le bruit du cercueil que l'on referme, l'odeur affreuse de la colle, les vis qui couinent, et mes trois sœurs transformées en pleureuses se traînant aux genoux de maman, recroquevillées, se tordant les mains, effondrées sur les chaises et au sol. C'était un spectacle désolant ! Henri, notre frère aîné, a dû intervenir pour leur demander un peu de dignité.

27 juin 1999, 21 heures

Père n'est pas encore en terre, et l'on s'empresse d'ouvrir son testament. Aujourd'hui nous avions rendez-vous chez maman pour que le notaire, Valentin Schott, fasse lecture du texte olographique en notre présence. Cela pouvait tout de même attendre ! Pourquoi cette urgence ? Méfiant, j'ai demandé à mes conseils de m'accompagner.

C'est donc avec maître Baduel et le professeur Ranouille, du cabinet Lombard, que je me suis présenté à l'entrée des appartements de maman. C'est Anne qui nous a ouvert. Lorsqu'elle a vu mes avocats, elle a fait toute une histoire. Sous le prétexte que la lecture d'un testament est un événement exclusivement privé, elle a refusé que mes conseils pénètrent chez ma mère. Je me suis donc rendu auprès de maman pour lui demander l'autorisation de faire entrer mes conseils. Un peu surprise, sans même réfléchir, elle m'a dit qu'il n'y avait aucun problème. Devant Chantal, Anne et Claude vertes de rage, mes avocats se sont installés dans le salon où la lecture du document devait être faite. Diane aussi était là avec son conseil. Seul Henri était absent. Nous l'avons attendu pendant une heure. J'en ai profité pour interroger le notaire :

« Dites-moi, cher maître Schott, avez-vous quelque lien avec l'administrateur de la Fondation Saint-Louis, qui s'appelle lui aussi Schott ? »

Le notaire, un peu gêné, m'a répondu :

« Oui, effectivement, c'est mon frère ! »

Un peu plus tard, Marion, la femme de Thibaut, en entrant dans la pièce, nous a déclaré que Henri ne viendrait pas. Le lendemain, j'ai appris qu'il s'était offusqué, en tant que nouveau chef de la famille de France, d'avoir été convoqué pour l'ouverture du testament alors que c'était à lui de convoquer les autres.

Comme personne ne désirait remettre la séance, le notaire a été autorisé à ouvrir l'ultime message de notre père. De l'enveloppe, il n'a retiré que deux pages. La première était l'acte d'enregistrement, la seconde le testament. En tout dix-sept lignes manuscrites à l'encre bleue, quelques formules juridiques précises et sèches. Aucun testament politique, aucune phrase pour la postérité, pas un mot pour les enfants, pas une allusion à l'histoire de notre famille. Un texte aseptisé, bien peu en phase avec les habitudes lyriques et emphatiques de papa. Sa volonté n'en est pas moins claire : « J'institue mon épouse, la comtesse de Paris, légataire de l'usufruit de l'intégralité de ma succession... En outre, j'exclus la possibilité pour mes descendants d'user de la faculté de conversion prévue par l'article 1094-2 du code civil. Enfin, à l'égard des biens soumis à usufruit, mon épouse sera dispensée de fournir caution, dresser état des immeubles ou de faire inventaire. »

En clair, ce document écrit à Cherisy le 12 mai 1999, donc chez Élise Friese, nous écarte de l'héritage tant que vivra notre mère.

Pour quelle raison étrange père a-t-il voulu dispenser maman de faire l'inventaire du patrimoine ? Voilà une bonne question ! Père et ses conseillers, je le crois, ont souhaité retarder le plus possible le moment où nous constaterons l'énorme gabegie et, de ce fait, limiter nos moyens de rétorsion. Interrogé sur les résidus du patrimoine, le notaire nous a expliqué que celui-ci se limitait à un portefeuille d'actions dont le montant était d'environ vingt millions de francs, les bois du Nouvion-en-Thiérache et quelques broutilles. Nous jeter cela à la tête, c'est vraiment se moquer de nous, mais je me suis abstenu de faire un esclandre et cela uniquement pour maman. Comment ignorer que ce notaire, frère de Cyrille Schott qui est l'un des administrateurs de la

Fondation Saint-Louis, peut avoir des intérêts en contradiction avec ceux de notre famille ?...

Au mieux, si nous retrouvons les meubles de notre père, dont nous ignorons le dépôt, et si les bois du Nouvion-en-Thiérache n'ont pas été surévalués, le patrimoine que lègue le comte de Paris est d'une valeur d'environ cent dix millions de francs. Au pire, ce qui me semble être à craindre, le patrimoine a une valeur maximale de vingt-quatre millions de francs. Dans tous les cas, deux cents millions ont purement et simplement disparu et cent quarante millions nous échappent via la Fondation Saint-Louis. Papa a atteint son but. Il nous a déshérités de plus des trois quarts de sa fortune.

Il nous a été donné à chacun une copie du testament. Un peu plus tard, chez moi, je l'ai relu. Aussitôt, j'ai appelé mes frères et sœurs. Nous étions tous d'accord : nous n'avons pas reconnu l'écriture de papa. Comparé à ses tout derniers courriers, où son écriture était presque illisible, le tracé des lettres sur le testament est bien trop net. La signature nous semble, elle aussi, très étrange. Enfin, le testament comprend certaines fautes typographiques qui ne correspondent vraiment pas à l'écriture, très académique, de papa. Nous demanderons une expertise du testament et nos conseils vont se concerter pour qu'un administrateur civil soit nommé le plus vite possible. Nous ferons toute la lumière sur la disparition du patrimoine de la Maison de France et l'inventaire en sera dressé.

28 juin 1999, 23 h 30

Plus de six cents personnes, toutes de noir vêtues, ma mère et mes sœurs un crêpe noir sur la tête, l'impératrice Farah d'Iran, la grande-duchesse de Luxembourg, la princesse Philippe de Liechtenstein, le prince de Monaco et son fils Albert, le prince Aymone de Savoie, le prince des Asturies Philippe, héritier d'Espagne, le prince héritier Frederik de Danemark et le prince Laurent de Belgique... Mon père aurait aimé son enterrement. La presse aussi était là. Des caméras de télévision, des photographes et une foule d'anonymes se pressaient pour apercevoir et saisir quelques visages de cette longue procession qui entrait dans la chapelle royale de Dreux. Petit moment de panique, Henri a modifié, au dernier moment, le protocole établi par notre père, provoquant un léger flottement dans la cérémonie. Sa façon de s'affirmer comme nouveau chef de la famille de France frôle le ridicule. Maman n'a pas pu s'empêcher de lui lancer : « Tu es peut-être le nouveau chef de la Maison de France, mais tu n'y connais rien ! »

L'évêque de Chartres a rendu hommage au grand homme qui n'avait pas démérité de la nation. Lorsque le cercueil a été descendu dans la crypte, les pleureuses ont redoublé d'activité, les Petits Chanteurs à la croix de bois ont chanté : *Ce n'est qu'un au revoir*. Tous faisaient une mine dramatique. À ce moment précis, j'aurais aimé entendre les vraies pensées de chacun. Combien d'entre eux respectaient réellement la mémoire de papa ? Tous ceux que je voyais dans la crypte ont eu à pâtir de ses terribles humeurs. Qui, parmi nous, les enfants du comte de Paris, pouvait dire que son pardon, en cet instant, était total ? Qui, parmi nous, pouvait dire qu'il ne regrettait rien, alors que le cercueil descendait le long des cordes ? Je suis certain que tous, nous réprimions un cri de colère. Les condoléances ont été émouvantes, maman était superbe et digne, pas une fois je ne l'ai vue pleurer. Je la crois soulagée. C'était un enterrement simple et humble, comme il faut.

30 juin 1999, 15 h 10

Les médias n'en finissent plus de rendre hommage à papa. Les « unes » et les pleines pages s'empilent sur mon bureau, mais toutes restent de bon ton. À quelques rares exceptions, père est décrit comme un homme extraordinaire, un fin politicien qui aurait eu une réelle influence sur son temps. Je connais certains des journalistes qui ont signé des papiers de ce genre. Je sais bien qu'ils savent qui était réellement le comte de Paris. Pourquoi en France a-t-on si peur de s'attaquer aux mensonges ? Pour quelle raison les médias se plient-ils si facilement aux ordres des mandarins, gardiens modernes de la vérité officielle ? J'ai même lu que papa avait été enterré à côté de son fils Thibaut, alors que la sépulture de ce dernier est à l'extérieur de la crypte familiale. Ces pages auront au moins un intérêt : rétablir un peu de la vérité historique.

Les hommes politiques aussi y vont de leurs communiqués. Le président de la République, Jacques Chirac, a déclaré que la mémoire du comte de Paris lui était chère, car « cet homme, toute sa vie, avait assumé dans la fidélité l'héritage de la famille royale de France sans s'écarter du respect des institutions de la République ». Le ministre de l'Intérieur, Jean-Pierre Chevènement, a salué « avec tristesse la mémoire du comte de Paris décédé samedi 19 juin. Ce fut un grand patriote qui manquera à la France. Nul ne fut moins orléaniste au sens où on l'entend en politique que ce prince de la Maison d'Orléans ». Jean Tiberi, maire de Paris, a déclaré : « Le comte de Paris avait su incarner les valeurs intemporelles de notre nation. Mesurant ses conseils et ses avis, il gagna ainsi un respect unanime. » Enfin, Jack Lang, grand ami de papa, a demandé « que ne soient pas oubliés les liens particuliers qui ont uni, à de nombreuses reprises, le comte de Paris et François Mitterrand, avec lequel il entretint un dialogue fécond ». Quel besoin ont-ils de se rappeler à la mémoire du peuple pour l'enterrement de notre père ? Je ne comprends pas l'intérêt de ces politiques, quelle réelle importance père avait-il pour eux ?

20 juillet 1999, 12 h 45

Une page se tourne définitivement. Mes relations avec mon père ne seront dorénavant plus que des

226

souvenirs. Le comte de Paris est une image qui s'effacera des mémoires avec le temps. Mes espoirs de lui arracher des réponses par ce livre ne sont plus. S'ouvre pour moi, comme pour mes frères et sœurs, un long chemin sur lequel nous devrons retrouver le sens de notre famille. J'ai fait procéder, le 22 juin à 16 heures, au premier volet des actions judiciaires que nous avons décidé de mener. Il s'est déroulé au domicile d'Élise Friese à Cherisy, puisqu'il s'agit du dernier domicile de papa et du lieu authentique de son décès. Devant les greffiers, le juge d'instance et maître Jean-Paul Baduel, Élise Friese tremblait. Première surprise, le premier geste d'Élise Friese a été d'appeler maître Schott à Strasbourg. Deuxième surprise, dans cette maison où a vécu mon père, il ne reste quasiment plus rien de lui. Pas une assiette aux armes de la famille, pas un bouton de manchette, pas un document, pas une facture, juste quelques mouchoirs... Dernière surprise, Élise Friese nous a avoué qu'elle avait envoyé tous les documents bancaires et comptables du comte de Paris à la banque SOGIP. Décidément, tous ces gens se connaissent bien. La sauvegarde de notre honneur passe aussi par l'étude de leurs liens. Tout un programme !

Le 5 juillet, dans la matinée, maître Baduel s'est porté au domicile de mon père, du moins celui que son acte de décès présente complaisamment comme le lieu de sa mort. Il est vrai que cela fait mieux pour la postérité ! Dans l'appartement des Hespérides, qu'il a acquis en 1993, un inventaire pour scellés a été dressé. Surprise encore, du riche mobilier que

nous connaissions, il ne reste rien ! La directrice de
la résidence nous a appris que trois camions étaient
venus effectuer le déménagement, les 7, 10 et 20 juillet 1998. Où sont partis ces camions ? Tout simplement vers le domicile d'Élise Friese et de deux de
ses filles. C'est ce que nous a confirmé l'entreprise
qui s'est chargée du déménagement. Les meubles
de l'appartement des Hespérides avaient une valeur
d'au moins quatre millions de francs. Il s'agissait de
bibelots rares, de vaisselles précieuses, de tableaux...
Notre père n'a même pas voulu nous les laisser.

24 juillet 1999, 22 h 20

Élise Friese s'inquiète de ce que nous pourrions
faire ou dire. Elle n'est pas la seule. Certains font
déjà des approches auprès de nos avocats. Ils veulent
négocier, discrètement, pour éviter le scandale !
Dans le magazine *Oh la !* du 14 juillet dernier, Élise
Friese s'est livrée à de très intéressantes déclarations : « Enfin, lorsque le duc d'Orléans, trois jours
après la mort de son père, a fait poser des scellés
sur ma maison, la comtesse de Paris m'a envoyé un
télégramme disant qu'elle était "scandalisée" de
l'attitude de son fils et "de tout cœur avec moi". Les
princesses Anne, Claude et Chantal de France ont
signé avec elle. Le comte de Paris m'avait dit que
j'aurais beaucoup à craindre après sa mort pour les
meubles de la maison. Monseigneur m'a laissé un
cahier où il a écrit certaines choses que je pourrais
utiliser contre ceux de ses enfants qui voudraient

me poursuivre. Je ne le ferai jamais, et je vais même le brûler. »

Voilà qui est sympathique ! Notre père continue à nous menacer par-delà sa tombe. Quelle grandeur, quelle force de caractère ! Mais que craignent donc ces gens ? Je le dis clairement : « Madame Élise Friese, rendez public ce petit cahier noir. Je vous en prie, faites-nous cet honneur, au nom de la vérité historique... Surtout, ne brûlez rien ! Et puis, pour les meubles de votre villa de Cherisy, je vous le jure, vous n'avez rien à craindre. »

C'est une nouvelle aventure qui nous attend. Nous n'avons plus rien, nous ne pouvons que gagner. Tout doit être mis à plat. Et alors seulement nous pourrons repartir sur de nouvelles bases.

Je ne cherche pas à me venger, j'appelle de toute mon âme la justice. Nul n'a le droit de mettre fin à l'histoire des Orléans.

Descendance d'Henri de France, comte de Paris, et d'Isabelle, princesse d'Orléans et Bragance

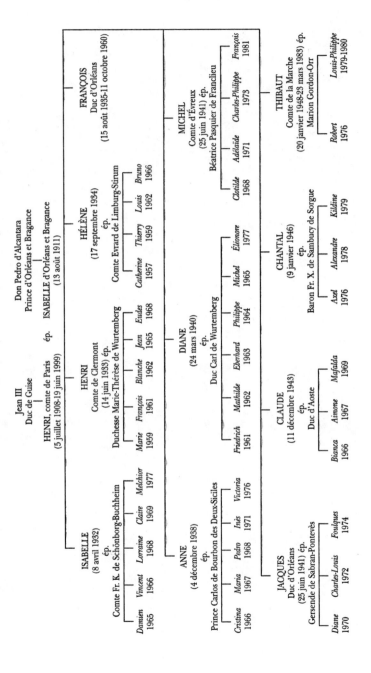

Table

Cet ouvrage composé
par I.G.S. - Charente Photogravure
à L'Isle-d'Espagnac,
a été achevé d'imprimer sur Roto-Page
par l'Imprimerie Floch à Mayenne,
pour les Éditions Albin Michel
en décembre 1999.

N° d'édition : 18879.
N° d'impression : 47650.
Dépôt légal : décembre 1999.
Imprimé en France.